Imitation des Bois

À Claudine

Imitation des Bois

Yannick GUÉGAN
Directeur de l'Institut Supérieur de Peinture Décorative de Paris
(IPEDEC)

Collaboration Claudine GUÉGAN

Photographie
Jean-François FAROUAULT et Pierre MANNU

dessain et tolra

Maquette: Michèle Andrault
Composition: Graphic Hainaut
Photogravure: Eurésys

Dépôt légal: octobre 1991
ISBN 2-249-27835-0

Imprimé en Espagne par Graficromo, Cordoue

PRÉFACE

Imitation des bois *de Yannick Guégan est la suite logique d'*Imitation des marbres, *du même auteur, dans la même collection. Comme le précédent, cet ouvrage va devenir la référence en la matière.*

Il suscitera l'admiration tant de l'amateur éclairé que du professionnel peintre en décors.

Le premier appréciera l'esthétique de la réalisation et rêvera de posséder une œuvre originale.

Le second sera tenté d'exécuter une œuvre aussi belle que celle présentée par l'auteur.

Le bois, matière essentielle de la vie de l'homme depuis l'aube de l'humanité, a longtemps été la matière essentielle d'outils, de meubles ou d'objets élaborés.

Ici, il est le fruit de l'observation du Maître.

Les bois acquièrent d'ultimes lettres de noblesse, si besoin était, en étant analysés, imités et reproduits plus vrais que nature.

Le livre de Yannick Guégan est une source de découvertes de tous les instants. Le lire, puis le relire, permettra, à chaque regard, de relever de nouveaux détails : une couleur, un trait, une forme qui avaient jusqu'alors échappé au lecteur.

L'évocation de la provenance des bois invite au voyage : Acajou des Amériques, Ébène de Macassar, Citronnier d'Afrique côtoient Chêne et Sapin des forêts européennes.

Le soin apporté à réaliser chaque essence dans ses moindres particularités est directement issu de l'expérience de formateur de Yannick Guégan à l'Institut Supérieur de Peinture Décorative de Paris (IPEDEC).

En lisant Imitation des bois, *vous êtes déjà un peu l'élève du Maître qui cherche toujours à communiquer et à distiller son art.*

Que ces quelques lignes de préface soient le témoignage de mon estime et de mon amitié pour Yannick Guégan et pour son épouse Claudine, qui par leur persévérance contribuent au développement de la peinture en décors et à sa valorisation par son enseignement.

JEAN-MICHEL HOTYAT
SECRÉTAIRE GÉNÉRAL DE l'IPEDEC.

SOMMAIRE

INTRODUCTION

Le retour au néo-classique en ce début de décennie 1990 nous amène à redécouvrir ce que nos ancêtres proches, mais également ceux éloignés de plusieurs millénaires nous ont légué.

Dans un perpétuel mouvement de flux et de reflux, voici le retour de l'art classique et de l'art antique, avec leurs bases ornementales bien établies.

Comme je l'expliquais déjà dans mon précédent ouvrage, le décor peint existe depuis la nuit des temps. Qu'il soit de grottes, de tableaux sur chevalet, de fresques murales, de meubles, il n'a cessé d'évoluer, depuis l'art rupestre jusqu'au Moyen Age, en passant par l'ère antique, apogée des créations classiques qui sont la base de notre métier en ce qui concerne l'ornementation et le «sujet», thèmes du décor peint.

Après le Moyen Age, le noble style Renaissance tout comme le magnifique Empire reprennent les canons de l'art antique, en les amplifiant pour le premier, en les actualisant pour le second. Nous remarquons que les styles intermédiaires se servent également des mêmes principes.

Après les années néo-classiques du XIXe siècle, le style *Fleur, Nouille, Modern, Art Déco*, nous rappelle, par certaines volutes et certains dépouillements, des décors de pur style Égyptien.

Cycliquement, nous délaissons ce que nos pères ont créé et utilisé, pour «évoluer»; curieusement, cette évolution reprend en fait soit en totalité, soit partiellement, soit en les modifiant, des thèmes déjà utilisés mais un peu oubliés. Les Maîtres grecs ou romains pratiquaient déjà ainsi. Nous n'inventons rien, nous réactualisons simplement. Le mobilier et la mode en sont quelques exemples. Il serait bien sûr difficile, au XXe siècle, de se vêtir à la mode Louis XIV, car cela serait peu pratique compte tenu de notre mode de vie. Mais en matière de *trompe-l'œil*, de *décors peints*, nous n'hésitons pas à remonter le temps, et à utiliser sans problème les trouvailles, les idées et certaines techniques de nos prédécesseurs.

Imaginez ce peintre anonyme, décorant la célèbre Villa des Mystères à Pompéi. De quelle main experte, et avec quel souci de perfection a-t-il réalisé ses personnages dans le quotidien de leur vie! Imaginez-le préparant ses brosses, ses couleurs, son dessin esquissé sur parchemin. Et ces peintures murales au délicat toucher qui laissent présager l'impressionnisme... à l'époque du 4e style pompéien, au début de l'ère chrétienne; et ces soubassements en faux marbres, avec panneautages et moulurations délimitant la partie réservée au mobilier, dans la villa de Lucrutius Fronto, ne vous rappellent-ils pas les entrées d'immeubles français du siècle dernier, ou les salons de Versailles et d'autres grands palais? Sommets du trompe-l'œil, ces géniales perspectives peintes simulant l'architecture romaine, sont-elles pour nous antiques ou modernes?

Pourtant, le temps de nos grands-parents nous semble bien dépassé, et leur manière d'utiliser l'art du faux bois et du faux marbre est complètement révolue. Au siècle dernier, ces réalisations se comprenaient; car bien que belles pour la plupart, elles furent réalisées dans un souci d'économie: matières riches à moindres prix, solidité due aux nombreuses couches, réalisations peu salissantes grâce aux tons sombres et chargés.

Aujourd'hui, le décor n'a plus rien à voir avec celui du XIXe siècle, car les techniques modernes permettent la solidité, la propreté, et l'imitation parfaite grâce à la photographie.

Notre but n'est plus de faire du faux faux bois ou du faux faux marbre, à la manière de grand-papa, mais de savoir imiter à la perfection les matières nobles et recherchées, et surtout de savoir les intégrer en second plan, dans une composition générale où paysage, personnages, ornementations, perspectives, seront les acteurs principaux.

Après une période que l'on a qualifiée de «décadente», «moderne», «différente» ou «charnière», notre œil redécouvre fresques, balustres, colonnes, perspectives savantes, drapés harmonieux, ciels nuageux, jardins merveilleux...

Peindre 500 m² de murs en brèche grise ou en panneautage de chêne, même si l'imitation est belle, cela se nommera toujours du faux marbre ou du faux bois. Exécuter, toujours parfaitement, ces mêmes matières, les moulurer de façon savante en panneaux sculptés, en corniches, en colonnes ouvragées, dans une composition ornementale avec toute la technique de l'ombre et de la lumière: cela devient du trompe-l'œil.

Au début des années 90, après plusieurs décennies de «libre expression», nous éprouvons le besoin de recourir à des bases, des repères, des techniques, parce que l'art du trompe-l'œil nécessite tout cela pour être bien réalisé.

LE TROMPE-L'ŒIL

La peinture en trompe-l'œil est issue de la conjugaison d'un Art, celui du peintre, et d'une passion: celle du peintre en décors.

Le nom de «peintre» recouvre différentes disciplines: existent le peintre en bâtiment, le peintre en lettres, le peintre-fileur, le peintre réalisateur de faux bois et faux marbre, le peintre en décors — travaillant en «grandes dimensions» et l'artiste peintre, travaillant sur chevalet.

En réalité, le peintre en décors, utilisant des techniques propres à chaque discipline, regroupe toutes ces spécialisations en une.

Il est capable de créer aussi bien un monde à l'antique qu'à la Escher; il peut nous faire oublier momentanément le quotidien, en nous faisant «entrer dans le décor».

Quoi de plus étonnant en effet pour un visiteur que de tendre la main vers un objet placé dans une bibliothèque... et de ne trouver que du «plat»?

Quoi de plus merveilleux que d'agrandir, d'une terrasse verdoyante, une minuscule pièce sombre?

Quoi de plus amusant pour le réalisateur que de voir l'œil étonné et perplexe de l'ébéniste ou du marbrier, penché sur une fausse marqueterie ou un faux marbre plus vrai que nature?

Et quelle satisfaction de pouvoir orner un bibelot d'ivoire, de galuchat, d'écaille, tout en préservant la vie de ces espèces menacées! C'est un privilège d'initié et passionné, car tout cela est affaire de passion... doublée de technique:

— la technique de l'artiste peintre pour la création, le dessin, les perspectives architecturales, la subtilité et l'harmonie des couleurs, le jeu des ombres et lumières
— celle du peintre en bâtiment pour l'élaboration des supports et la préparation des produits
— celle du peintre en lettres pour la réalisation de certains ornements fins
— celle du peintre-fileur pour les fausses moulures, les panneautages, les appareillages de pierres
— et bien entendu, celle de l'imitation des bois et des marbres.

Mais ce n'est pas tout. Encore faut-il savoir intégrer ces techniques dans le temps, dans le style, à la manière des marbriers, des ébénistes, des paysagistes, des architectes, des artistes peintres célèbres.

Nous verrons tout cela. Mais pour le moment, étudions ensemble, après l'imitation des marbres, celle des bois.

LE BOIS

Avant de passer à l'imitation des bois proprement dite, il est indispensable de mieux connaître ce que nous allons imiter.

Tout un monde existe entre une Ronce de Chêne et une Loupe d'Orme, entre un Sycomore et un Palissandre. Il est important d'être au courant de ces différences, de ces subtilités, puisqu'en matière de trompe-l'œil, il s'agit de reproduire le mieux possible la réalité. Il faut donc en premier lieu examiner cette réalité, car «les copies des copies» engendrent inévitablement des déformations.

Tout d'abord, l'arbre est un être vivant, compagnon de l'homme.

Sa nature, son envergure, sa couleur, ses plaies aux cicatrices indélébiles, lui donneront son caractère :

— le Chêne majestueux servira aux travaux de grande et moyenne importances où dimensions et solidité se conjuguent (charpentes, navires, escaliers, meubles massifs),

— l'arbre fruitier, moins imposant, sera destiné au mobilier plus fin (Poirier, Citronnier),

— l'Acajou rouge alliera couleur et veinage pour mettre en valeur le plus simple des meubles,

— le fragile Bouleau, aux anneaux gris sombre sur blanc d'argent,

— le Platane, aux lambeaux d'écorce d'un tendre gris-vert...

C'est un réel plaisir de pouvoir observer, contempler des milliers de variétés, d'espèces courantes ou rares. Apprenons à regarder, à préserver. S'il nous faut couper ces êtres vivants pour nos besoins quotidiens, que cela soit pour le bien de notre humanité, de notre monde.

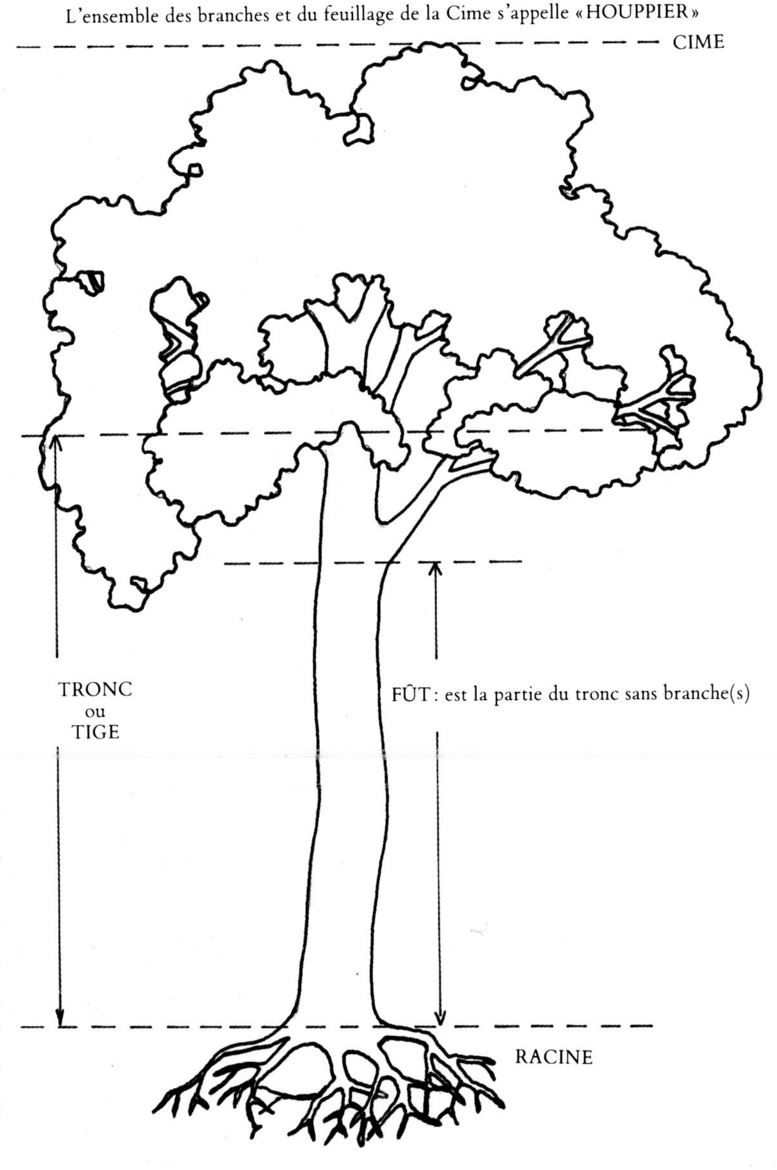

LA VEINURE (LE VEINAGE)

Suivant son tranchage, le bois aura un graphisme particulier et une utilisation propre à mettre en valeur ce graphisme.

Il existe plusieurs sortes de tailles pratiquées en fonction de l'importance de l'arbre. Les professionnels du bois en matière de coupe connaissent les complexités nombreuses et spécifiques à leur métier. Pour nous, peintres en décors, les choses sont fort heureusement plus simples. Nous ne retiendrons que ce qui est important à la réalisation des veines en peinture.

Pour vous expliquer ces coupes aux noms scientifiques et particuliers aux menuisiers, ébénistes et trancheurs de bois, j'emploierai des termes simples, mais clairs et suffisants pour l'usage que nous en ferons.

CROISSANCE ET GRAPHISME

Autour du cœur (moelle) de l'arbre, des cercles annuels de croissance vont se constituer tout au long de ses années de vie. Au fil du temps, cela donnera un tronc de plus en plus large et haut, suivant la variété de l'arbre. Les fibres, les vaisseaux, les cercles annuels vont, suivant le type de coupe, réaliser des graphismes différents.

— Les tranches parallèles coupées dans le sens de la hauteur (coupe sur dosse) mettront en valeur les ronces, qui sont les cercles de croissance vus en coupe longitudinale.

— Ce même fût coupé en « parts », toujours dans le sens de la hauteur, nous donnera les mailles, qui sont la suite des veines constituant les ronces et les cercles annuels, mais vues comme en pointillés du fait de la coupe en « biais ».

— La partie haute du tronc fournira un veinage plus noueux dû aux nombreuses « naissances » de branches. Il existe plusieurs

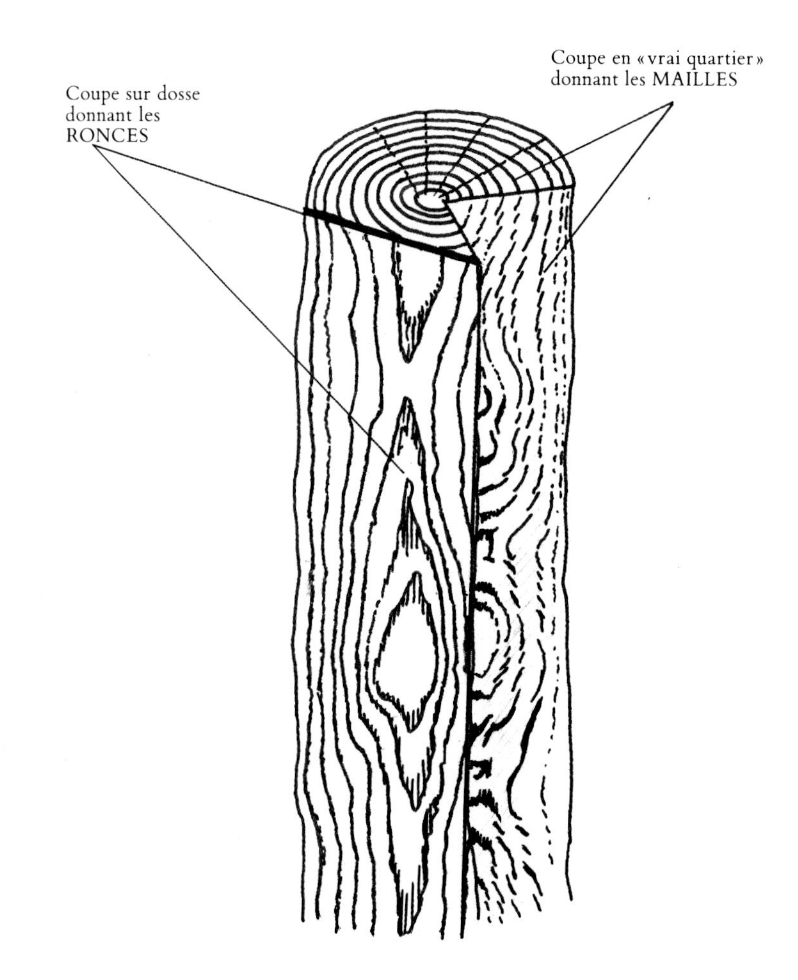

sortes de nœuds, mais elles n'intéressent en fait que les utilisateurs de «vrai bois».
— La croissance, la coupe, mais aussi les maladies et les agressions de toutes sortes marquent de leurs empreintes indélébiles la chair de notre arbre. Curieusement, ces cicatrices apportent aussi, bien souvent, leurs contributions décoratives. Les Loupes (d'Ormes, de Frêne, etc.) en sont de beaux exemples. La base, proche des racines, donne des effets semblables aux Loupes avec de nombreux nœuds similaires aux nœuds de naissance des branches.

Une fois taillée, le choix de la planche se fera en fonction de sa destination: une belle planche de mailles, de ronces, de loupe décorera la partie centrale d'un objet, d'un meuble, d'un travail. Alors que le simple bois de «fil», par sa sobriété, sera destiné à l'entourage de cette partie centrale afin de la mettre en valeur.

Il en est de même en marqueterie où le motif décoratif guide le choix du bois à marqueter. Un Bois de Rose ou de Violette utilisé en «linéaire» permettra un décor en chevrons. Alors qu'avec une coupe en «biais» par exemple, nous obtiendrons un motif en «ailes de papillon».

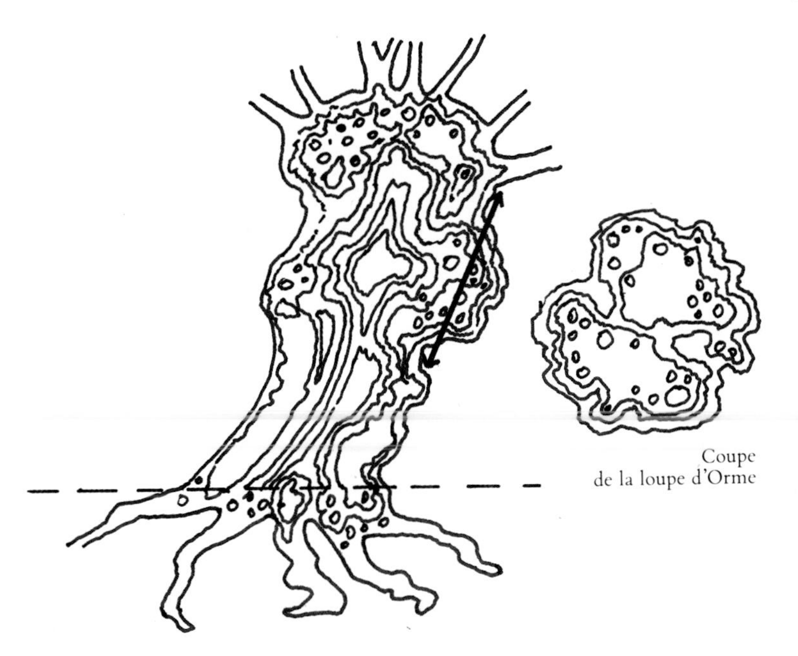

Coupe
de la loupe d'Orme

LA COULEUR

Au naturel, le bois de «cœur», contrairement en général à son écorce, est assez doux, clair dans ses tonalités. Ce sont les produits qu'on lui applique après mise en œuvre du meuble qui lui apportent un éclat plus soutenu. Les ébénistes forcent cet éclat par des teintes plus rousses, plus chaudes. Suivant leur utilisation, certains bois sont blanchis ou noircis. C'est le cas, par exemple, du poirier que l'on noircit pour remplacer l'ébène, plus coûteux, en marqueterie. La couleur peut être aussi radicalement modifiée: tons vert, bleu, mauve, utilisés pour la réalisation de natures mortes ou de meubles particuliers.

TECHNIQUE

Pour les bois, je vous propose l'une des techniques existantes: mi-technique traditionnelle à l'huile, mi-technique nouvelle à l'encre (encre indélébile diluable à l'eau), sur des fonds toujours réalisés en peinture satinée glycérophtalique pour éviter les «cordages» du traditionnel et ancien blanc de zinc.

Rappel d'une préparation classique d'un support traditionnel

(Bois ou plâtre) en vue d'une imitation normale d'un bois:
— une couche d'impression à l'huile, suivie d'un ponçage à sec, d'un ratissage du support à l'enduit gras, puis une sous-couche de laque satinée claire, pure.

Après avoir préparé son support, et avant de passer à l'imitation proprement dite, il est indispensable d'élaborer cette imitation en étudiant son graphisme (ronce, mailles, loupe) et l'ampleur de ce graphisme par rapport au décor général.

Il est en effet important de savoir ce que l'on va obtenir en finalité dès l'ébauche, car celle-ci conditionne toutes les opérations suivantes.

Après le support et le graphisme, l'ébauche. Réalisée à l'encre indélébile, elle raccourcit le temps de réalisation d'une imitation de bois grâce à son séchage rapide. Voir réalisation détaillée d'une ronce de Noyer.

A la suite de l'ébauche, le glaçage traditionnel à l'huile.

Rappel de la composition du glacis à l'huile

— 1/3 d'huile de lin plus 2/3 d'essence de térébenthine, sans oublier un peu de siccatif pour accélérer le séchage.

Le glacis à l'huile teinté va intensifier l'ébauche, tout en l'adoucissant grâce à sa transparence. C'est pourquoi il est recommandé de le passer avec légèreté, moyennement tiré afin d'éviter les coulures. Selon la finesse du travail recherché, on peut glacer une, deux, trois, voire quatre fois.

En terme de métier, on appelle également glacis une teinte à l'eau. Pour éviter des confusions, je parle d'ébauche à l'encre, puis de glaçage et reglaçage à l'huile.

L'imitation étant réalisée, il faut protéger son travail.

Rappel de protection de ce support après exécution du décor:

— une ou plusieurs couches de vernis d'aspect ciré, mat ou satiné (vernis cire) ou de vernis flatting d'aspect brillant. Pour un décor vraiment parfait, ces couches de vernis flatting (minimum 8) seront suivies de ponçages, polissage et lustrage.

OUTILLAGE

Divers moyens, divers outils sont employés en imitation de bois. Les uns se servent d'instruments courants, d'autres les modifient, voire les fabriquent. Peu importent méthode et outil s'ils amènent à un excellent résultat. Après avoir expérimenté techniques traditionnelles et modernes, voici une de mes manières de procéder encre-huile, et l'outillage que j'emploie.

A L'EAU

— deux spalters synthétiques (6 cm et 10 cm de large) pour étendre l'encre et former les ronces
— une brosse carrée synthétique (2 cm de large) pour préciser le graphisme
— deux brosses pointues synthétiques n° 2 et n° 3 pour parfaire dans le détail les « anneaux » de la ronce
— un blaireau pour adoucir les teintes et donner des « effets »
— une veinette pour apporter des superpositions de lignes formant la ronce
— un putois pour « moirer » rapidement
— une queue à battre pour obtenir les grains du bois
— une éponge carrée synthétique pour réaliser très rapidement le fil du bois
— une éponge naturelle pour réaliser les « effets » de loupe

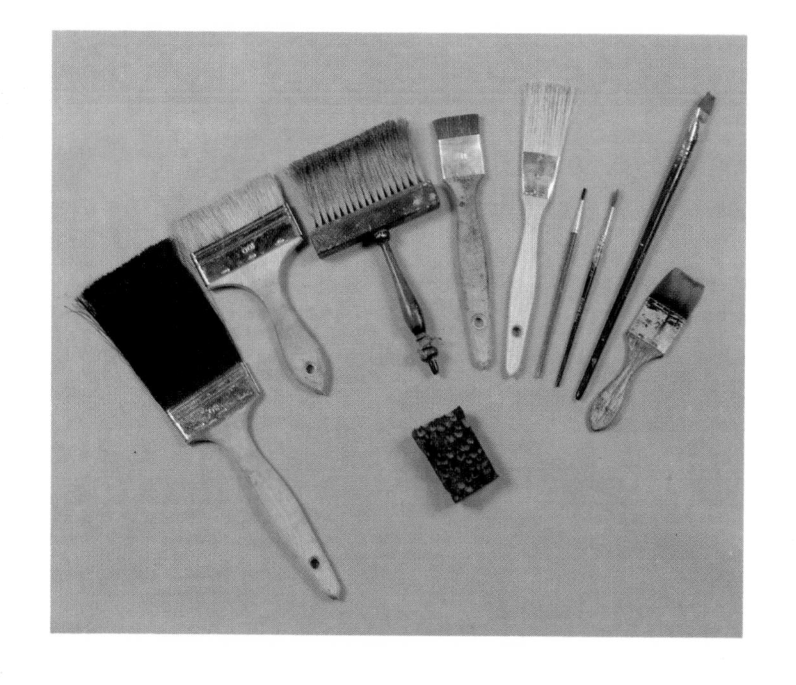

A L'HUILE

— deux spalters (6 cm et 10 cm de large) pour étendre la couleur sur l'ensemble
— une brosse carrée (2 cm de large) et une martre carrée (8 mm de large) pour préciser le graphisme
— deux martres pointues n° 1 et n° 3 pour finition des « cœurs » et des pointes de ronce
— un blaireau pour adoucir les teintes et donner des « effets »
— une veinette pour « dépouiller » le glacis
— un peigne à veiner en alu pour écarter les soies de la veinette
— un jeu de peignes en acier pour simuler le « fil » du chêne
— toile à chiffonner

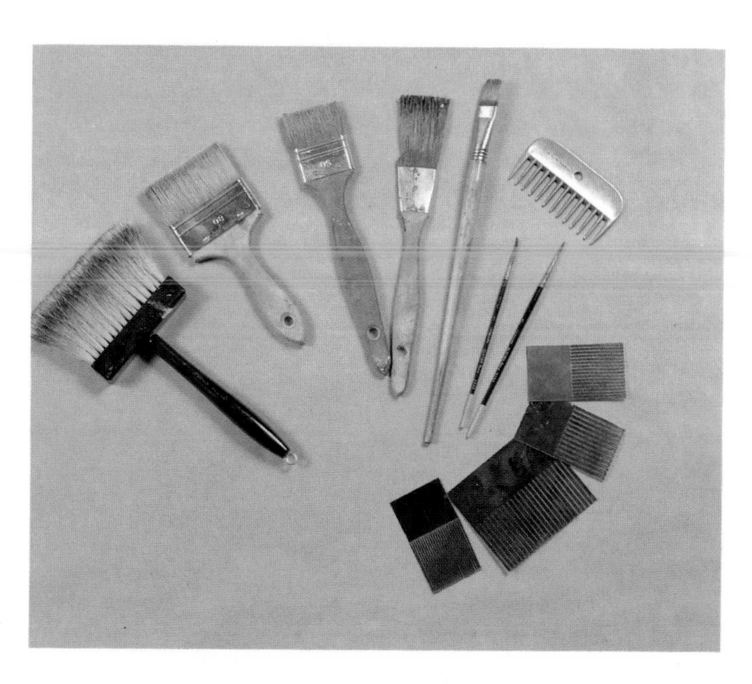

LES ESSENCES

LE NOYER

Présent sur tous les continents, et bien que courant, le Noyer, bois rutilant, moyennement dur, au grain fin et serré, rivalise depuis la Renaissance avec le Chêne notamment, dans la fabrication de meubles imposants ; imposants en dimensions et en sculptures, mises en valeur par sa chaude tonalité et par la brillance de son beau poli. Cette brillance sera un des points importants de l'imitation en trompe-l'œil d'une boiserie en Noyer.
Le Noyer présente souvent de «petites virgules» sur le sommet de ses ronces.

LE FRÊNE

Arbre des régions tempérées, au bois clair nuancé de tons jaunes et roses.
Suivant les cas, son veinage sera *plus ou moins* droit, délicatement ondulant aux jonctions de ronces, de nœuds, de moirés.

LES LOUPES

Les Loupes sont des excroissances du bois, sortes de verrues aux dimensions parfois très importantes, certaines dépassant un mètre. Leur graphisme est constitué d'une multitude de nœuds enchevêtrés, de formes capricieuses. Les plus connues sont les Loupes d'Orme, de Noyer, de Frêne, mais tous les arbres peuvent en être plus ou moins porteurs.

LE PITCHPIN MOIRÉ

Le Pitchpin est un parent du Sapin, à la ronce plus mouvementée. Son bois jaune aux veines rougeâtres est nettement plus décoratif et par conséquent son emploi est plus prestigieux que celui du Sapin, réservé aux réalisations ordinaires (lambris, emballages, etc.). Le graphisme du Pitchpin constitue un véritable décor ; de ce fait, il est préférable de l'utiliser en panneau central qu'en accompagnement.

LE SYCOMORE

Le Sycomore est un Érable dont l'utilisation était déjà effective ches les Égyptiens. Son bois comporte des ondulations fines amplifiées par des «moirés» et des «mouches». Sa couleur naturelle claire et nacrée varie entre le blanc et le jaune pâle.
Graphisme et couleur — soit naturelle, soit plus ou moins teintée, soit carrément modifiée (grise, bleue, verte) lui confèrent un caractère hautement décoratif très prisé en ébénisterie et en placage de marqueterie.

LE CITRONNIER

Arbre fruitier dont le bois blond au veinage assez neutre est utilisé en ébénisterie de luxe.

L'AMARANTE

Variété d'Acajou de Cayenne en Guyanne, dont le bois rouge violacé est fort prisé en marqueterie pour rehausser des bois clairs.

L'ÉRABLE

Arbre des régions tempérées aux très nombreuses variétés : des splendides et délicates naines du Japon aux géantes des forêts comme le Sycomore ou l'Érable du Canada (qui donne le fameux sirop d'Érable) ; le Canada a d'ailleurs comme emblème sa superbe feuille découpée ; feuilles très décoratives à l'automne, des rouges vifs aux tons mordorés en passant par les verts tendres.

LE BOIS DE ROSE

Doux par ses tons rosés, romantique par son nom, sobre par son veinage simplement rayé, précieux par son emploi, l'exotique Bois de Rose qui est tout cela porterait ce nom, non pas pour sa couleur mais pour son odeur. En peinture c'est plutôt sa couleur qui nous conditionne.

L'ÉBÈNE DE MACASSAR
Le bois de l'Ébénier est dur, dense, très sombre, veiné de brun ou de blanc; en placage de marqueterie, il est souvent remplacé par du poirier noirci dont le coût est moindre.

LE BOIS DE VIOLETTE
Un des Palissandres du Brésil aux caractéristiques proches du Bois de Rose mais de tons plus sombres... à odeur de violette ? Là encore, c'est la couleur qui nous intéresse en premier, par son bois foncé à reflets violacés.

LE PALISSANDRE
Le Palissandre d'Amérique du Sud, au bois brun à reflets violine et au sombre veinage, vigoureux mais élégant, est surtout employé, souvent en dédoublé, pour son contraste décoratif.

LE CHÊNE
Le Chêne, connu de tous, est présent un peu partout en Europe et même en Amérique où l'on trouve un «proche cousin». Cet arbre solide pouvant atteindre 40 m de haut possède de belles feuilles lobées qui ont souvent servi de modèle en ornementation.

L'ORME
Arbre de nos régions pouvant atteindre 20 à 30 m de haut et dont le bois solide est utilisé en menuiserie et en ébénisterie, notamment sa loupe dont l'excroissance donne un superbe décor noueux et tourmenté. Malheureusement, la maladie a atteint presque tous les Ormes de notre pays, et un grand nombre a dû être abattu. Le cours de ce bois est donc en hausse puisqu'il devient rare.

L'IF
Les Ifs, arbres persistants à baies rouges, se comptent par millions dans les régions tempérées. Ces conifères poussent spontanément ou s'adaptent à toutes les plantations. Certains rampent, d'autres se dressent. Certains sont en forme de boule, d'autres cylindriques, coniques, buissonnants. Ils peuvent atteindre plus de 15 m et pour certaines variétés vivre plus de 300 ans...

LE MERISIER
Le Prunus Padus est le Cerisier, le Prunus Avium, le Merisier, appelé aussi le «Cerisier des Oiseaux», qu'il ne faut pas confondre avec le Cerisier sauvage; quoi qu'il en soit, ils sont parents puisqu'étant tous deux Prunus, et leur bois en ébénisterie étant pratiquement semblable.
Le Merisier qui fait l'objet de ces explications possède des tons chauds de couleur miel et des veines légères plus sombres.

LE THUYA
est un conifère de forme conique dont de nombreuses variétés poussent partout en régions tempérées et dont certaines peuvent atteindre des hauteurs gigantesques en forêt comme le Thuya Géant appelé Cèdre Rouge d'Amérique.

LE SAPIN
Le plus connu est le Sapin du Nord car très apprécié à Noël mais aussi un des plus imposants qui fournit un bois d'œuvre pour des réalisations simples et courantes. Son bois est très clair, presque blanc, à peine jaunâtre. Sa ronce plus soutenue est très simple, assez régulière en anneaux concentriques autour d'un nœud (cousin du Pitchpin moiré, qui est plus décoratif).

L'ACAJOU
Appelé également Acajou de Cuba, car originaire des Antilles pour la variété qui nous intéresse. Ce bois dur au beau poli est très recherché en ébénisterie notamment, pour ses grands effets décoratifs rougeoyants et chatoyants.

Ébauche

Deux possibilités s'offrent à nous:

La traditionnelle:

battage à l'eau:

avec de la poudre de « terre de Cassel » mélangée à de la dextrine ou de la bière (produits immobilisant la poudre). Inconvénient de ce système: impossibilité de travailler aussitôt à l'eau, car risque de dilution de l'ébauche. Il faut impérativement appliquer un glacis à l'huile ou un vernis coupé pour isoler notre ébauche, d'où un temps de séchage important, 12 heures minimum.

La moderne:

battage à l'encre indélébile:

avec encre « terre de Cassel » et à la queue à battre; séchage 1 heure (pour le Noyer et l'Acajou).

A l'encre « Sienne brûlée et ombre brûlée » (mélange 50/50), former avec le spalter synthétique l'amorce de la ronce.

Avec une éponge synthétique carrée, humectée d'eau, sur l'encre fraîche, réaliser cette ronce. Puis blaireauter pour adoucir.

Grain du bois obtenu par battage à la queue à battre

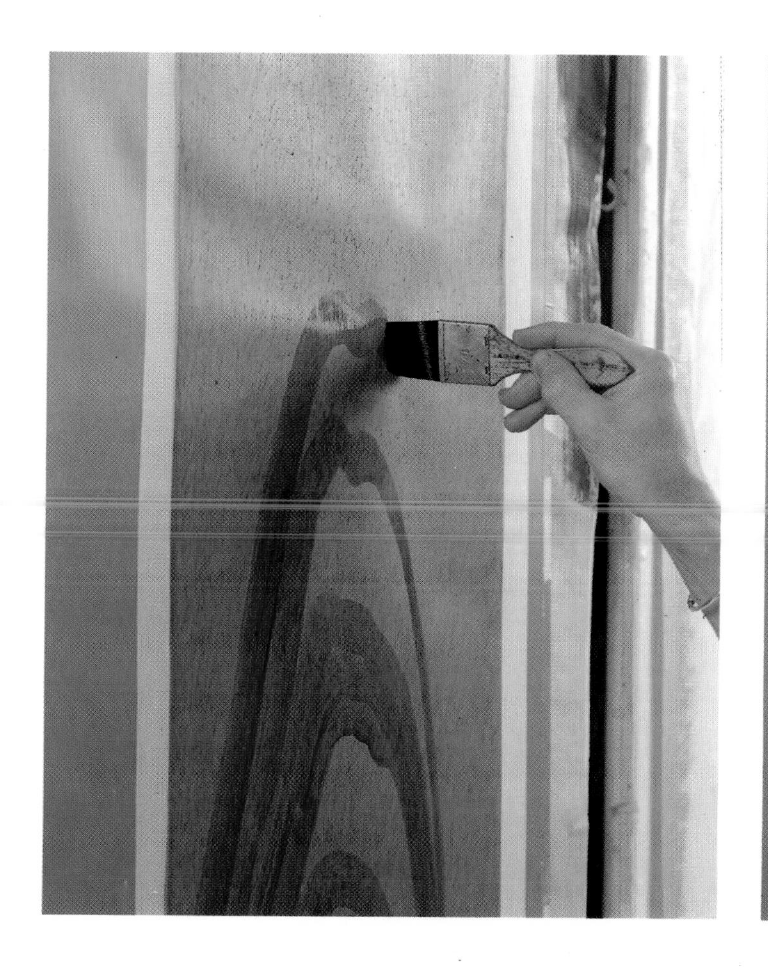

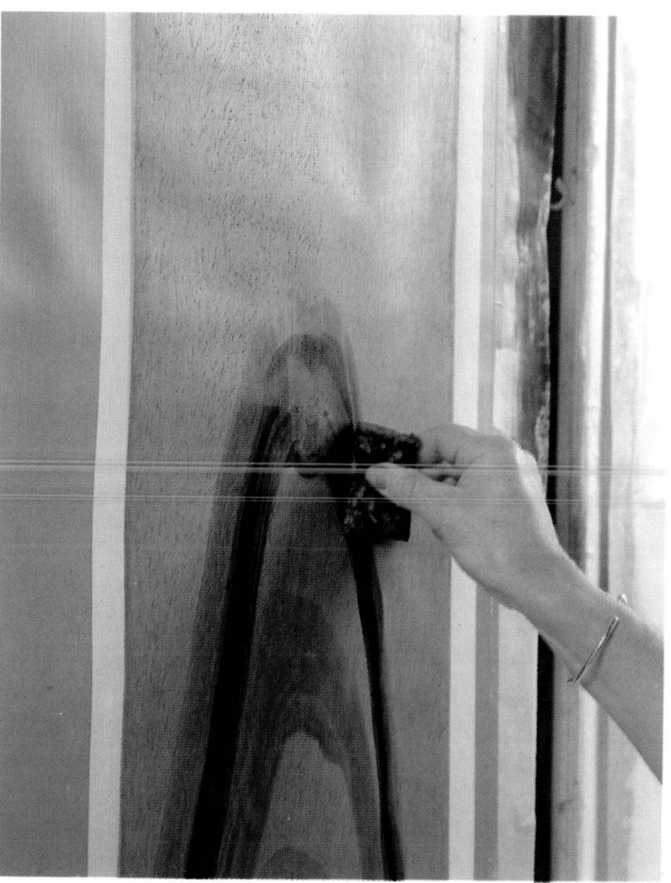

Grâce au séchage instantané, trois minutes plus tard, à l'aide d'une veinette trempée dans l'encre noire (légèrement diluée à l'eau), préciser les sommets des «anneaux» de la ronce. Puis blaireauter pour adoucir.
Même opération pour la partie «descendante» de la ronce.

Accompagnement latéral et vertical d'une ronce: avec des encres de teintes différentes (Sienne brûlée, ombre brûlée, noire) glacer les côtés en effets de différentes largeurs, au spalter. Les préciser à l'éponge carrée puis à la veinette.

Pour terminer cette ébauche à l'encre: repiquer avec une brosse pointue quelques anneaux pour préciser la ronce.

Glaçage à l'huile après quinze minutes de séchage: Passer sur l'ensemble du travail un glacis à l'huile, plus sombre (teinté de Sienne brûlée et de noir: tubes de peinture à l'huile).
Sur ce glacis, à l'aide d'un chiffon doux et sec recouvrant l'index, réaliser des enlevés entre le graphisme de ronce ébauché précédemment. Nous retrouvons la couleur de fond et réalisons ainsi les parties claires de la ronce.

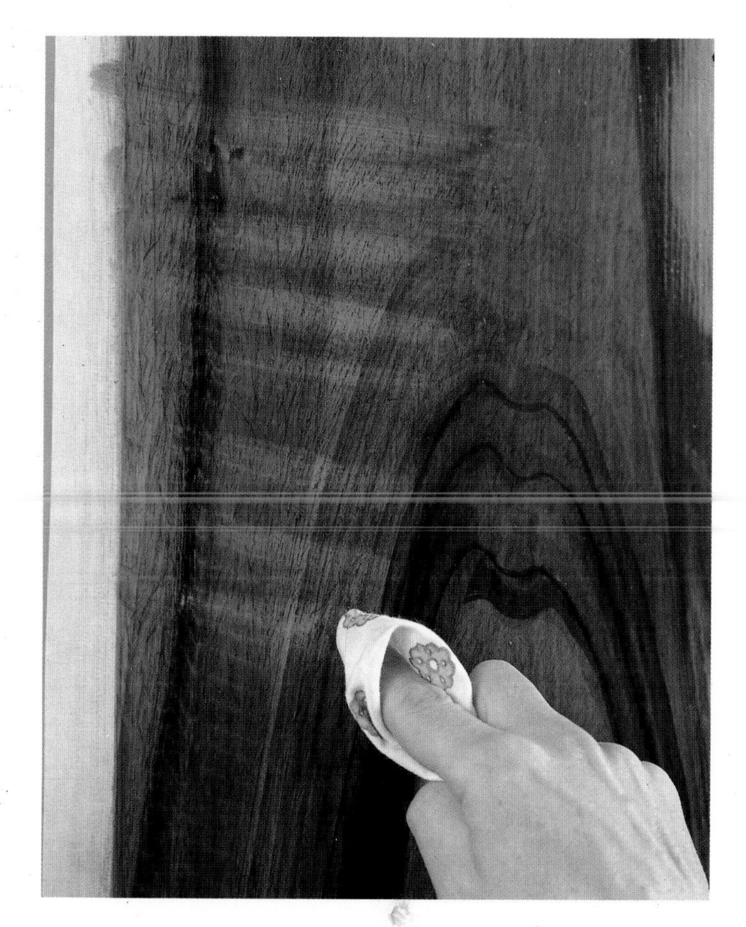

Note: il est également possible de réaliser ces enlevés à l'aide d'une veinette imbibée d'essence de térébenthine ou de glacis à l'huile. Le dépouillé obtenu sera ensuite blaireauté. Faire la même opération sur les côtés de la ronce.

De la même façon, réaliser des enlevés horizontaux pour simuler les moirés et les ondulations du bois.

Enfin, terminer par un léger battage dans le frais du glacis.
Cette opération apportera réalisme et touche finale.

Nous utiliserons le même processus d'évolution (encre et huile) pour tous les bois suivants.

Panneau de Noyer
avec fausse moulure
1,90 m × 0,80 m

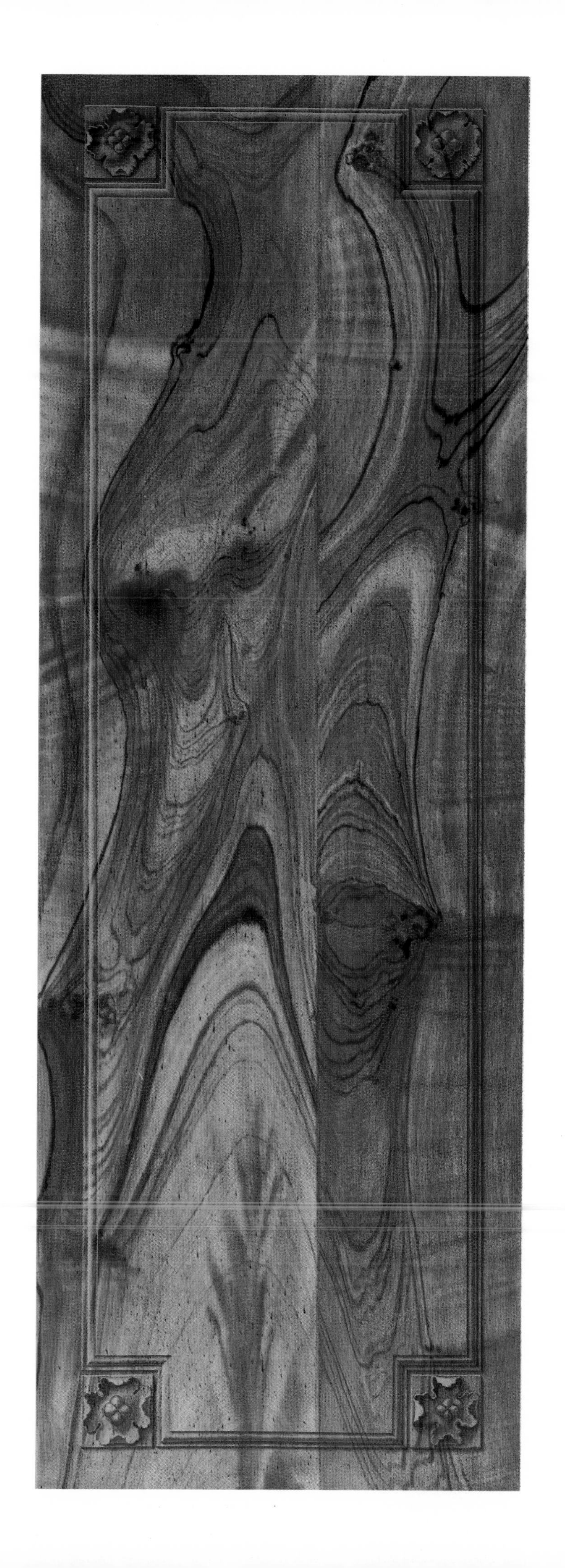

Planche de Noyer
sur fond de marqueterie en ronce de Frêne
avec un Listel de Loupe de Noyer
1,90 m × 0,80 m

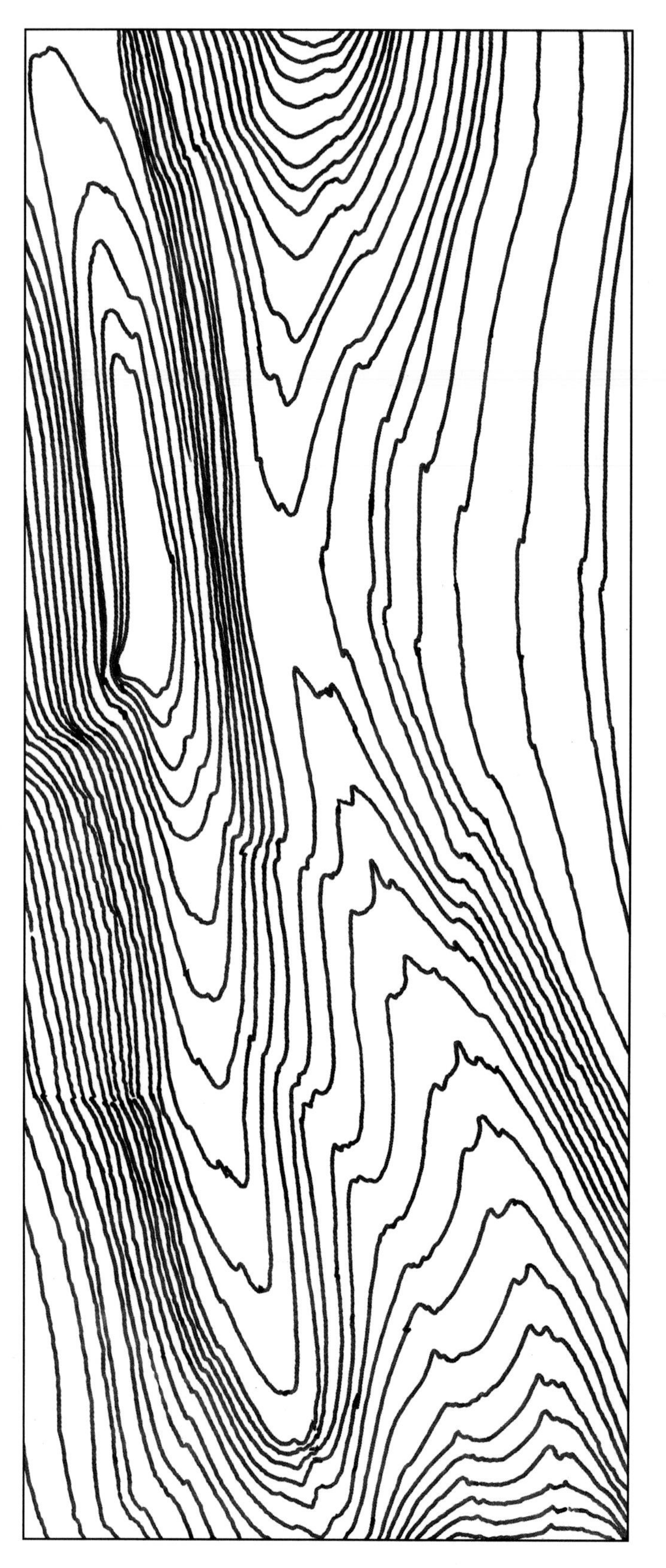

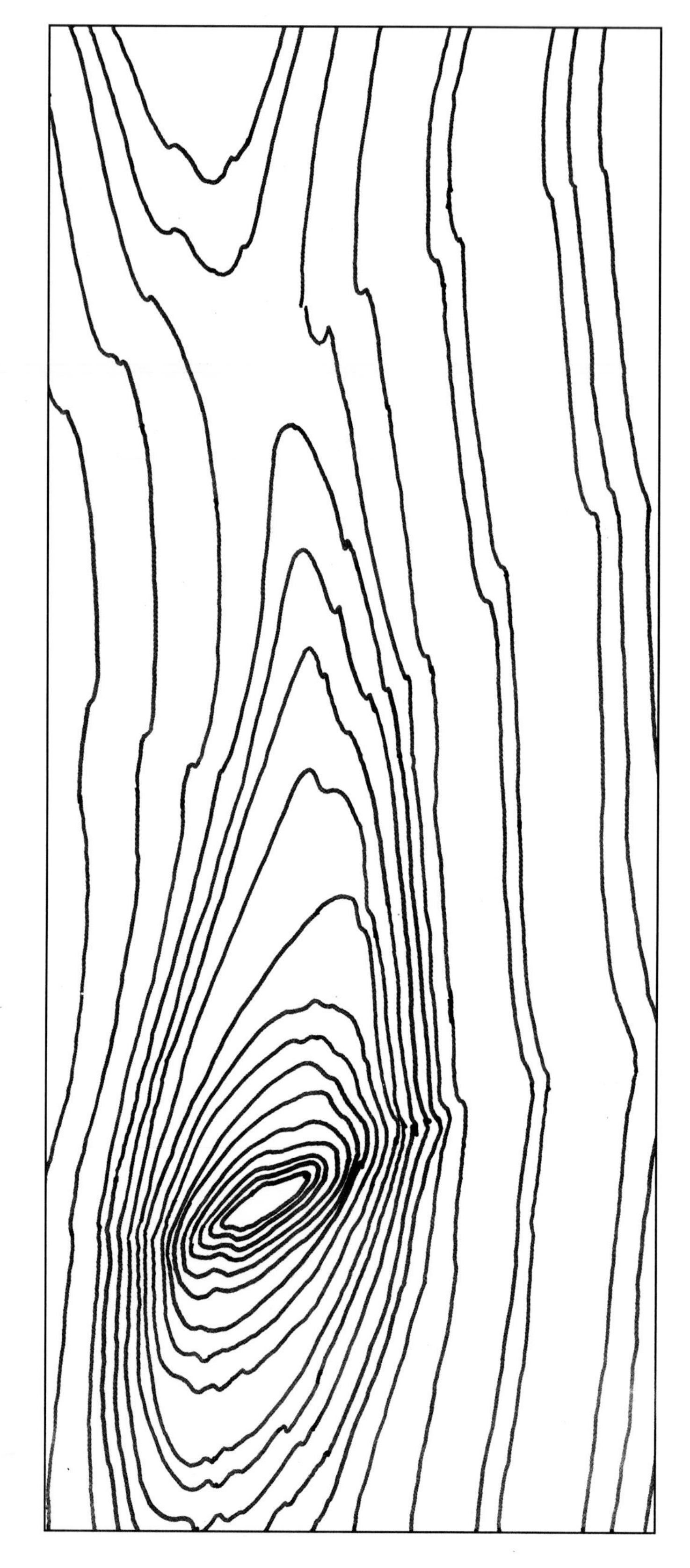

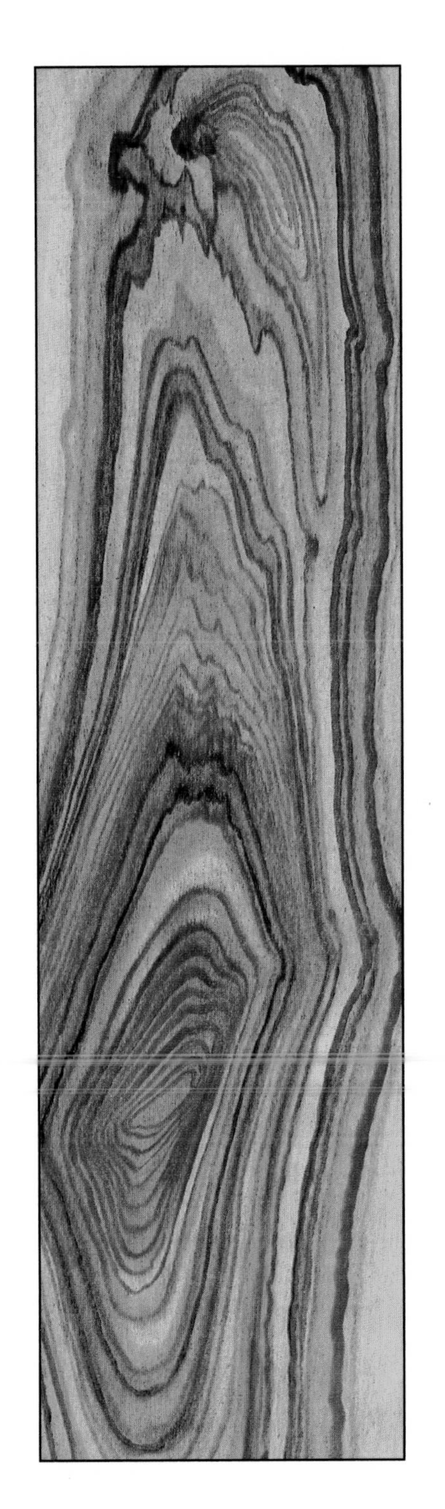

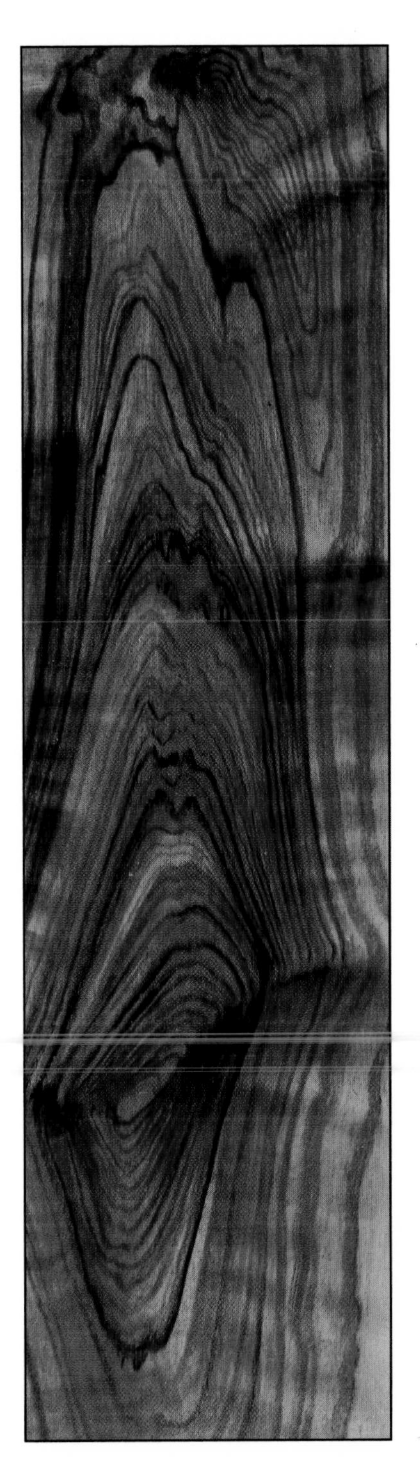

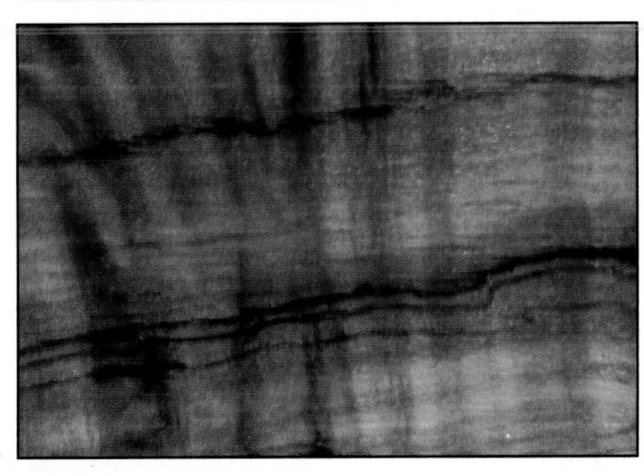

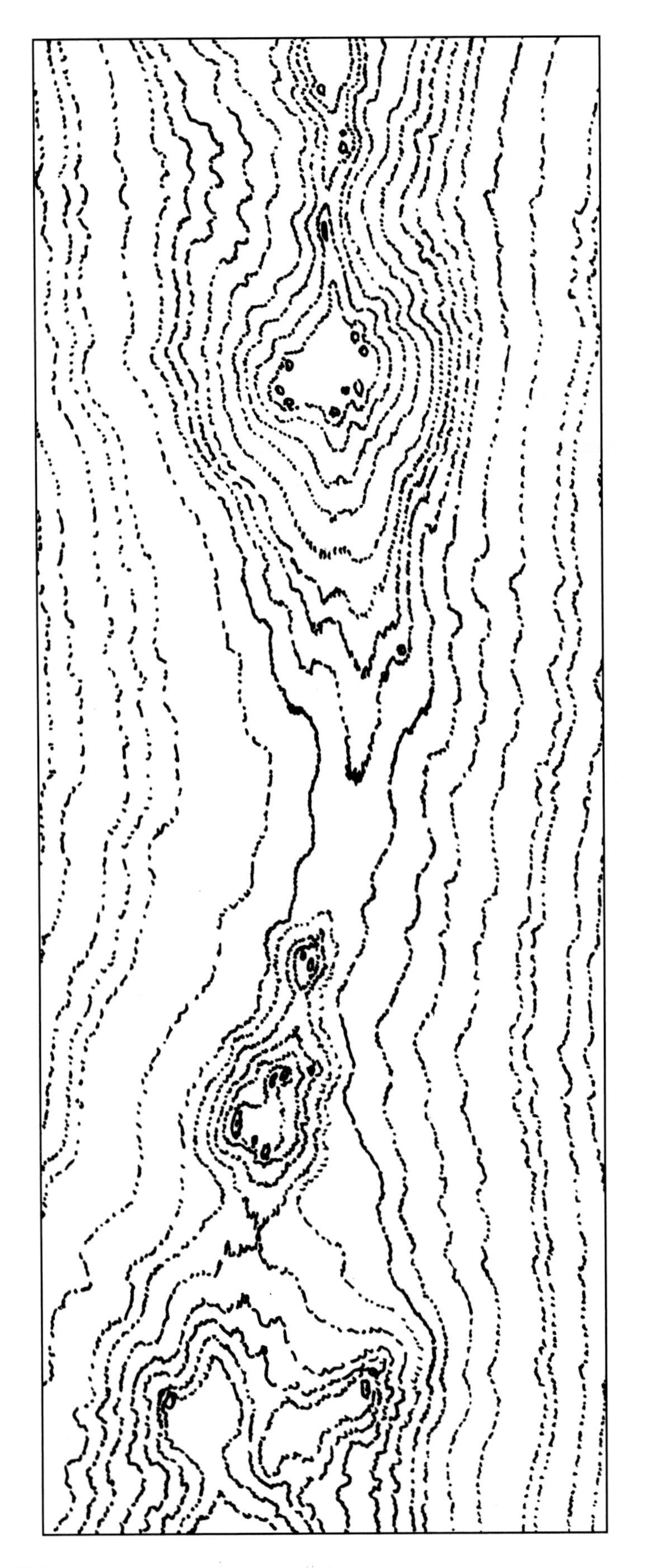

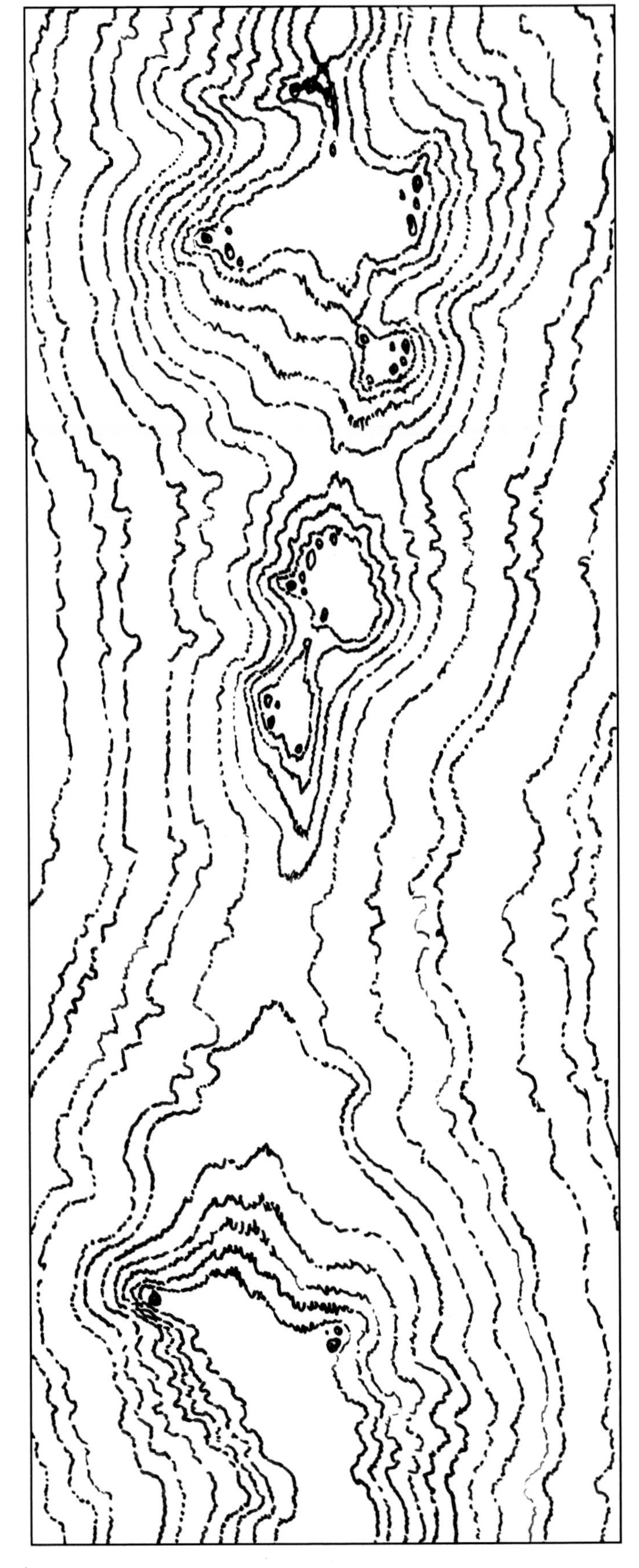

ÉVOLUTION DE LA RONCE DE FRÊNE

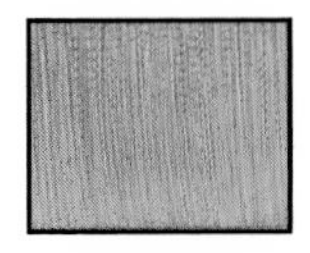

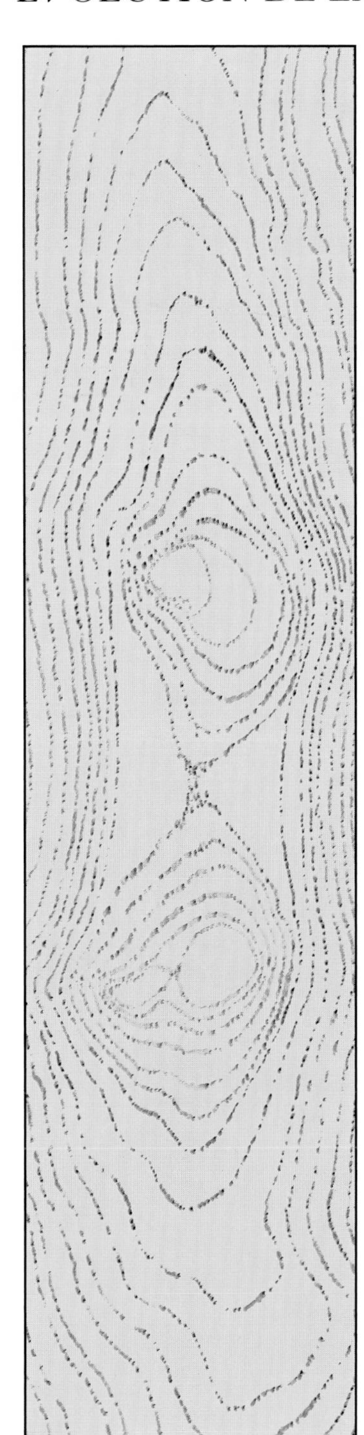

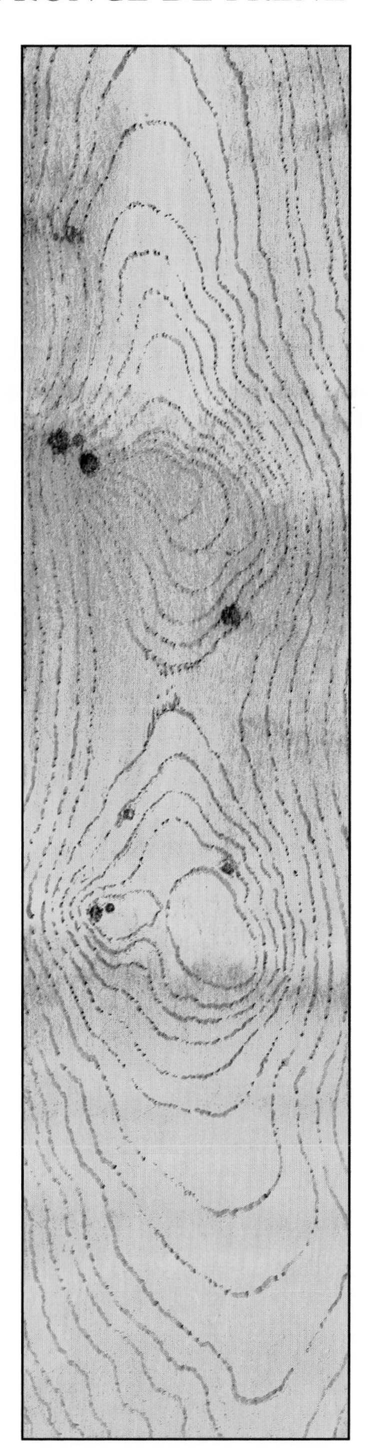

Fond jaune lumineux
(jaune de chrome n° 2 + ocre jaune + blanc)

ÉBAUCHE A L'ENCRE:
A la brosse pointue avec de la Sienne naturelle. Dessiner très finement les contours de la ronce.

Avec de la Sienne brûlée + ombre brûlée, présenter des petits nœuds d'accompagnement.

Quelques minutes plus tard, au spalter avec de la Sienne naturelle, glacer l'ensemble de la planche.

A l'aide d'un spalter, réaliser des enlevés dans le frais de cette teinte pour obtenir des moirés d'accompagnement.

Le Frêne présente parfois des ronces très ondulées et très moirées.

GLAÇAGE A L'HUILE:
Au spalter avec un glacis de Sienne naturelle + Sienne brûlée.

Glacer l'ensemble de la planche. Ce glaçage doit être très tiré.

Avec un chiffon doux retravailler en dépouillant sur les précédents moirés.

Adoucir au blaireau.

Avec une brosse pointue, repiquer les sommets des ronces ainsi que les nœuds en petits traits fins de Sienne brûlée + ombre brûlée.

Avec un spalter sec, battre délicatement l'ensemble du travail pour terminer.

Loupe de Noyer
entourée d'une Loupe de Frêne
1 m × 0,70 m

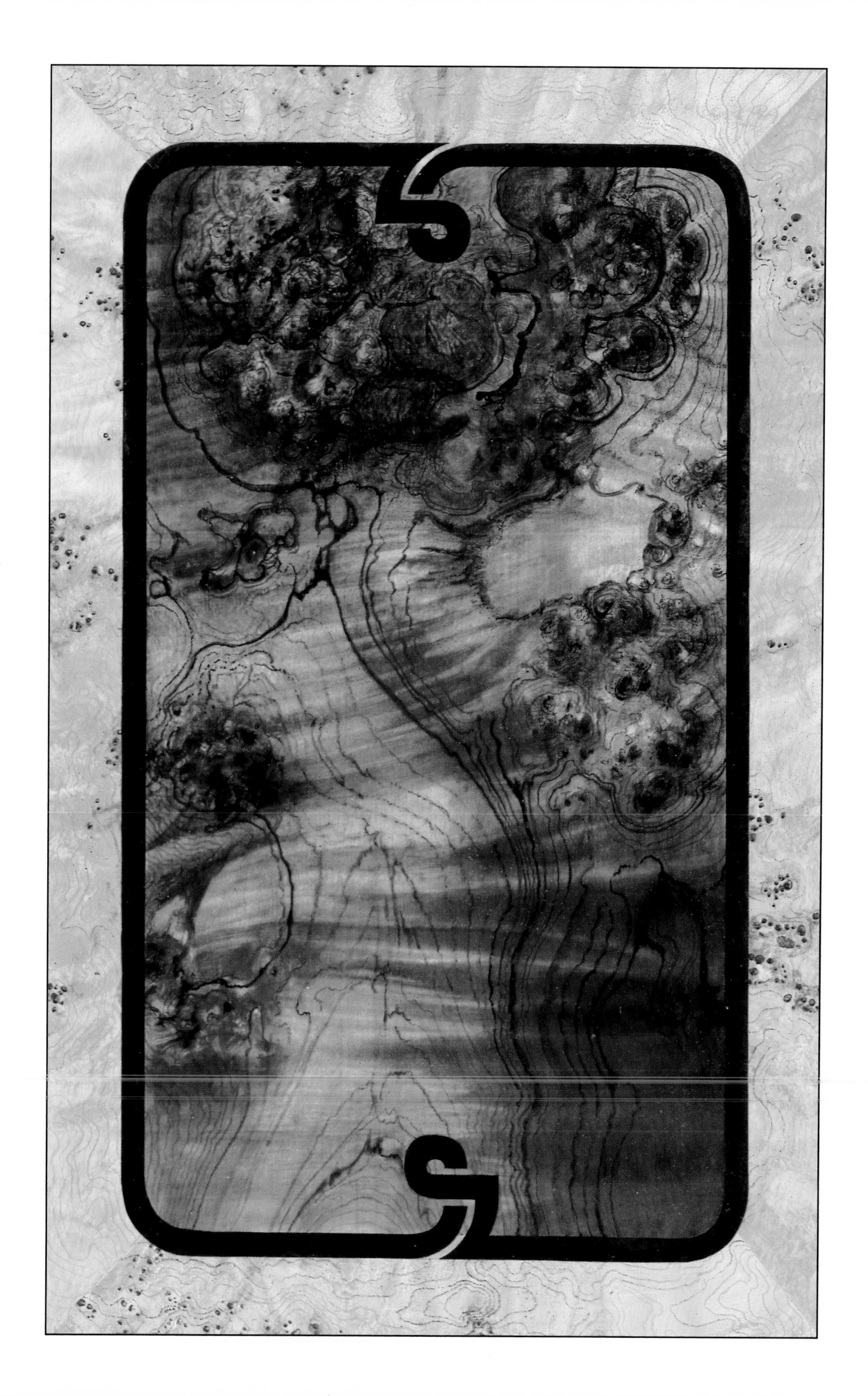

LOUPE DE NOYER

Fond orangé-ocré
(ocre jaune + mine orange + blanc)

ÉBAUCHE A L'ENCRE
Avec une brosse pointue, dessiner à la Sienne brûlée le graphisme de la loupe. Ce graphisme est nettement plus large que celui des autres loupes. Il s'agit en fait d'un combiné entre une ronce et une loupe classique.

Avec de l'encre noire, repiquer quelques lignes de la partie ronceuse à la brosse pointue.

Avec de la Sienne brûlée + ombre brûlée, réaliser à la brosse carrée les parties noueuses dans les «vides».

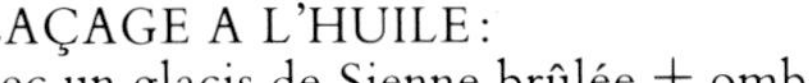

GLAÇAGE A L'HUILE:
Avec un glacis de Sienne brûlée + ombre brûlée et au spalter, glacer l'ensemble de la planche, puis, avec une veinette imbibée d'essence, pratiquer des dépouillés à l'intérieur et à l'extérieur de la ronce. Ceux-ci donneront des effets de «fil» amplifiant le mouvement de cette ronce.

Avec une brosse pointue et du noir, préciser quelques lignes de cette ronce et «grisonner» des parties «entre-anneaux».

Avec une brosse carrée et de l'ombre brûlée présenter des «accompagnements» qui seront les moirés de la loupe. Essuyer légèrement au chiffon ces moirés pour leur donner des nuances plus ou moins claires.

LOUPE DE FRÊNE

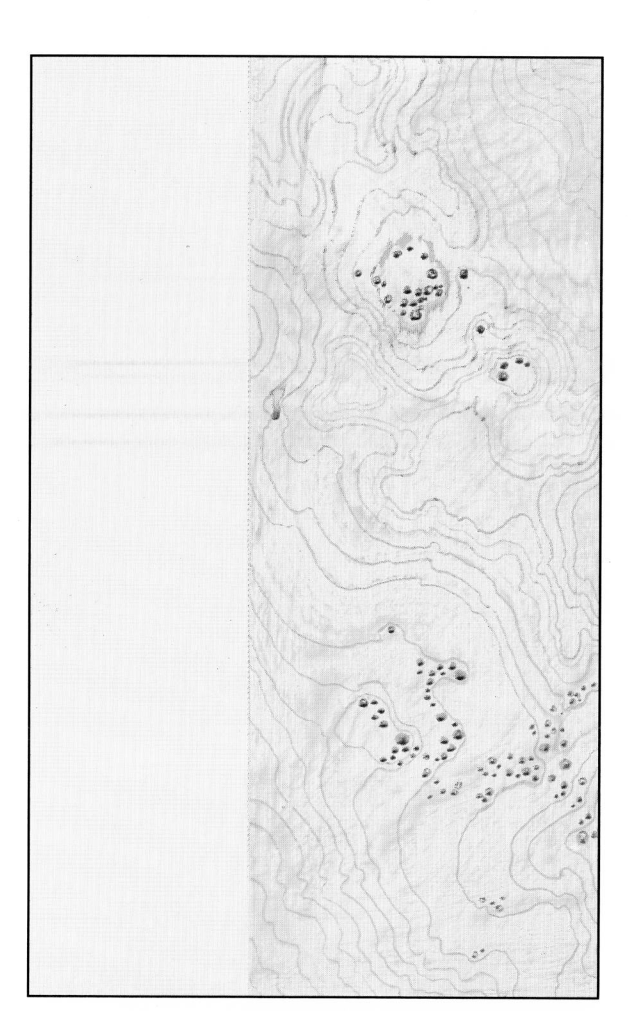

Fond jaune lumineux
(ocre jaune + jaune de chrome + blanc)

ÉBAUCHE A L'ENCRE
Avec de la Sienne naturelle et à la brosse carrée, réaliser des «îlots».
Cette Loupe est plus traditionnelle, plus serrée que la précédente.

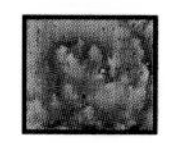

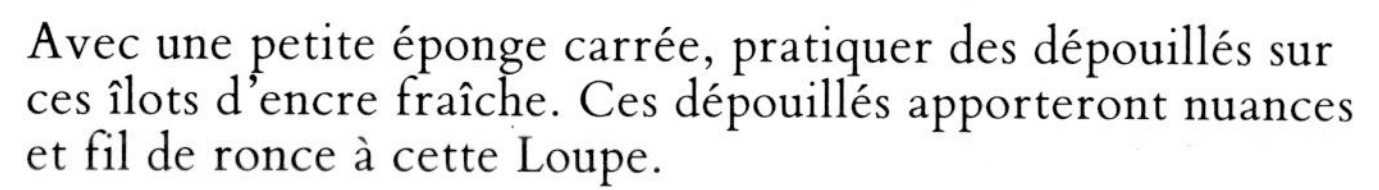

Avec une petite éponge carrée, pratiquer des dépouillés sur ces îlots d'encre fraîche. Ces dépouillés apporteront nuances et fil de ronce à cette Loupe.

Avec une brosse pointue et de la Sienne brûlée + Sienne naturelle, préciser quelques-uns de ces îlots, d'une manière fine et serrée pour parfaire ce graphisme tortueux,
puis, prendre une brosse carrée dont on aura écarté les soies, pour faire office de «mini-veinette»;
avec de la Sienne naturelle, repiquer ces îlots en réalisant une multitude de petits fils inégaux en espacement mais qui reprennent quand même la forme de ces îlots.

Avec une brosse pointue et de la Sienne brûlée + ombre brûlée, présenter des petits nœuds plus ou moins regroupés et emprisonnés dans ces îlots.

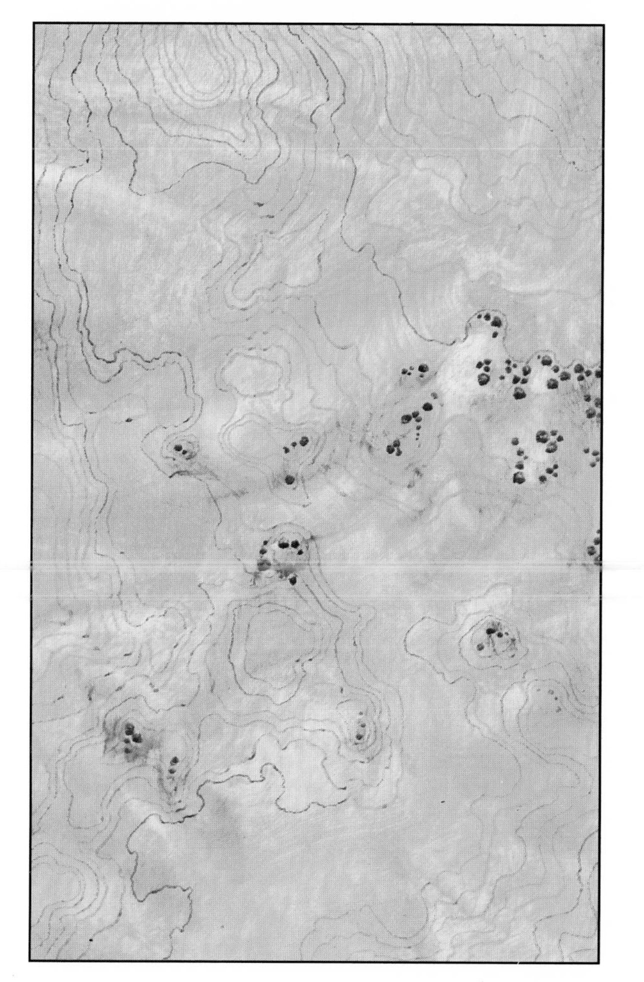

GLAÇAGE A L'HUILE:
Avec un glacis teinté de Sienne naturelle
glacer l'ensemble de la planche.

Avec un chiffon, réaliser des moirés d'accompagnement aux îlots.

Rehausser ces moirés clairs par des repiquages à la brosse pointue avec de la Sienne brûlée et de la Sienne naturelle.

Puis adoucir au blaireau délicatement.

A la brosse pointue avec de la Sienne brûlée + Sienne naturelle, retravailler quelques lignes de ronce ainsi que quelques nœuds.

Panneau de Noyer,
champ de Pitchpin moiré,
Listel en Érable
0,80 m × 0,80 m

Dessus de table en Pitchpin moiré
avec entrelacs de Sycomore
1,30 m × 0,70 m

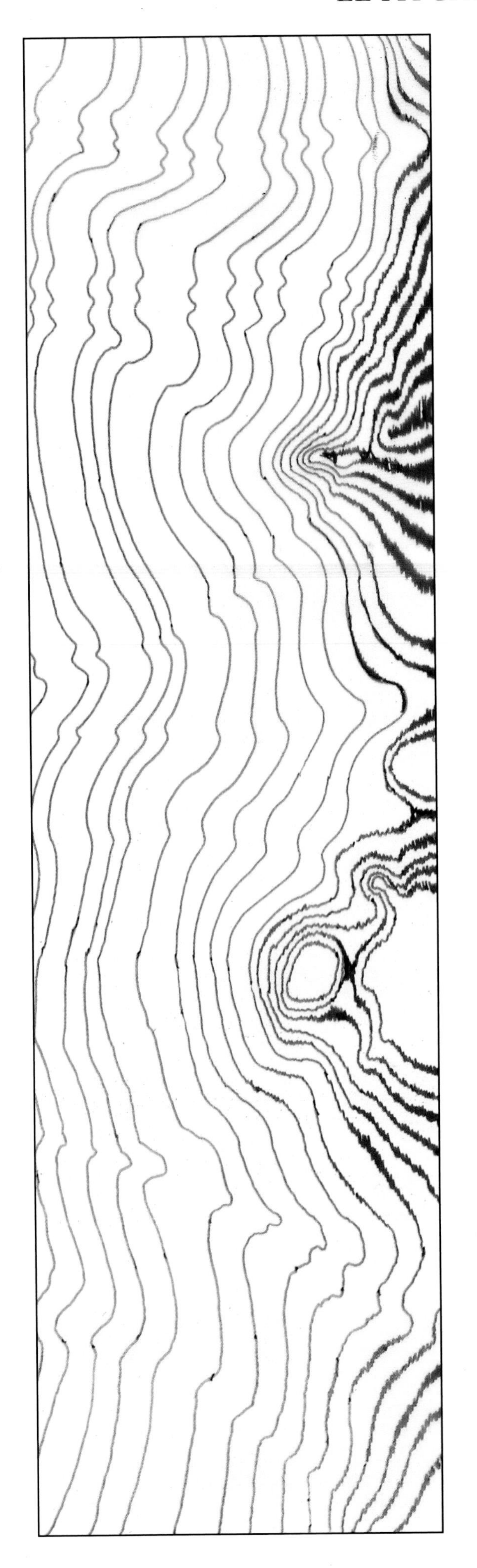

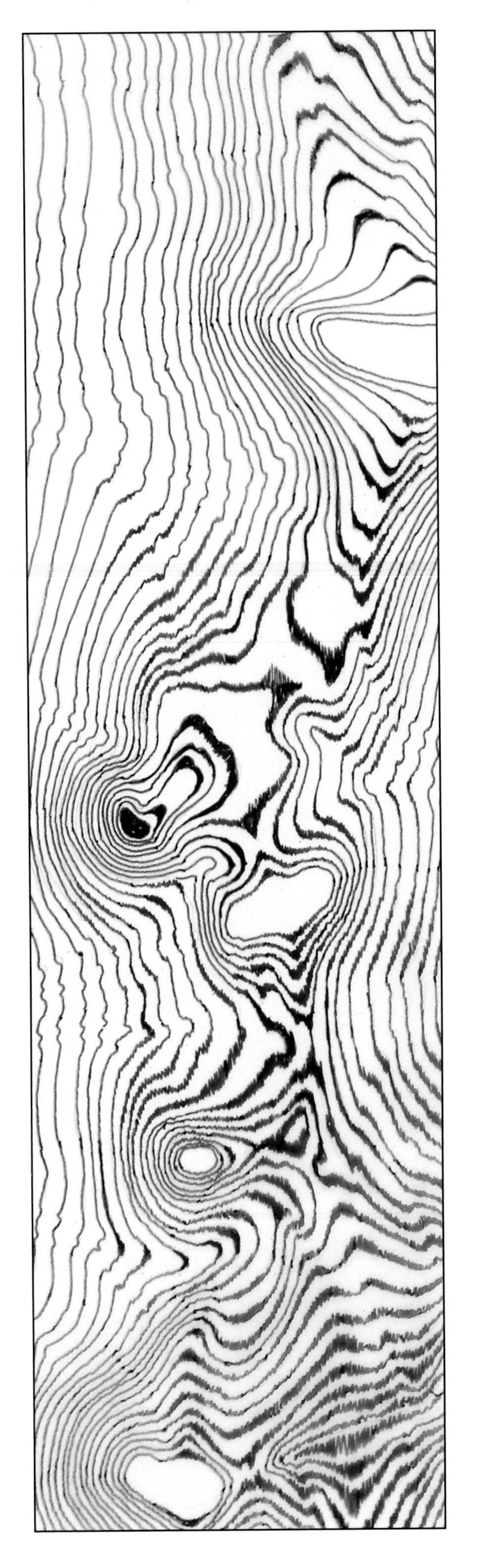

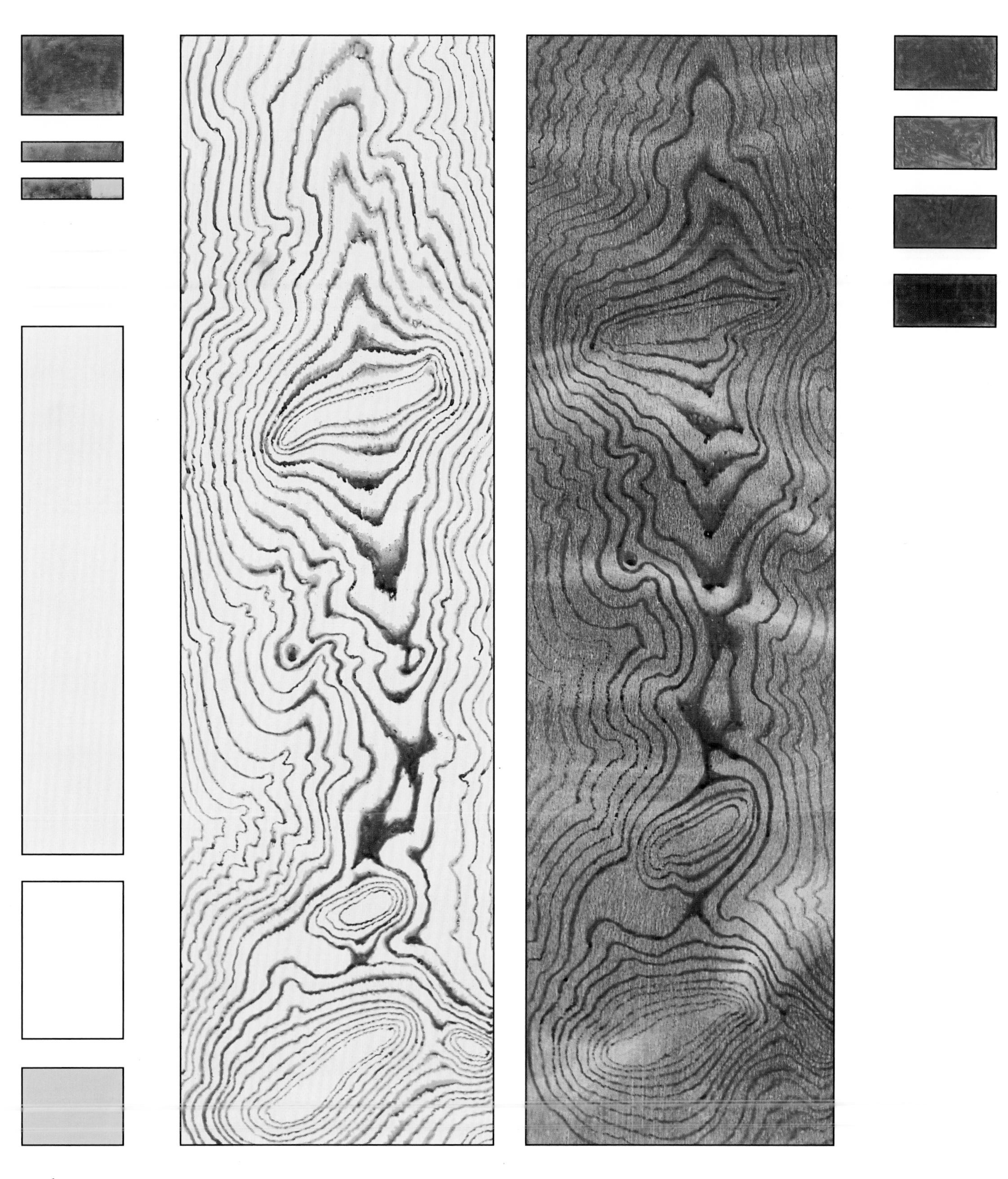

Fond jaune moyen:
(blanc + jaune de chrome n° 2)

ÉBAUCHE A L'ENCRE
Avec de la Sienne brûlée et de l'ombre brûlée, dessiner à sec le veinage à la brosse pointue.

Ce dessin de ronce doit être très tortueux tout en restant précis.

Blaireauter légèrement chaque effet de cette ronce.

GLAÇAGE A L'HUILE:
avec un glacis teinté de Sienne brûlée, de laque carminée, de bleu outremer, plus une petite pointe d'ombre brûlée.

Au spalter, glacer l'ensemble de la planche.

En essuyant au chiffon, réaliser des «moirés», puis les adoucir au blaireau pour accentuer les ondulations.

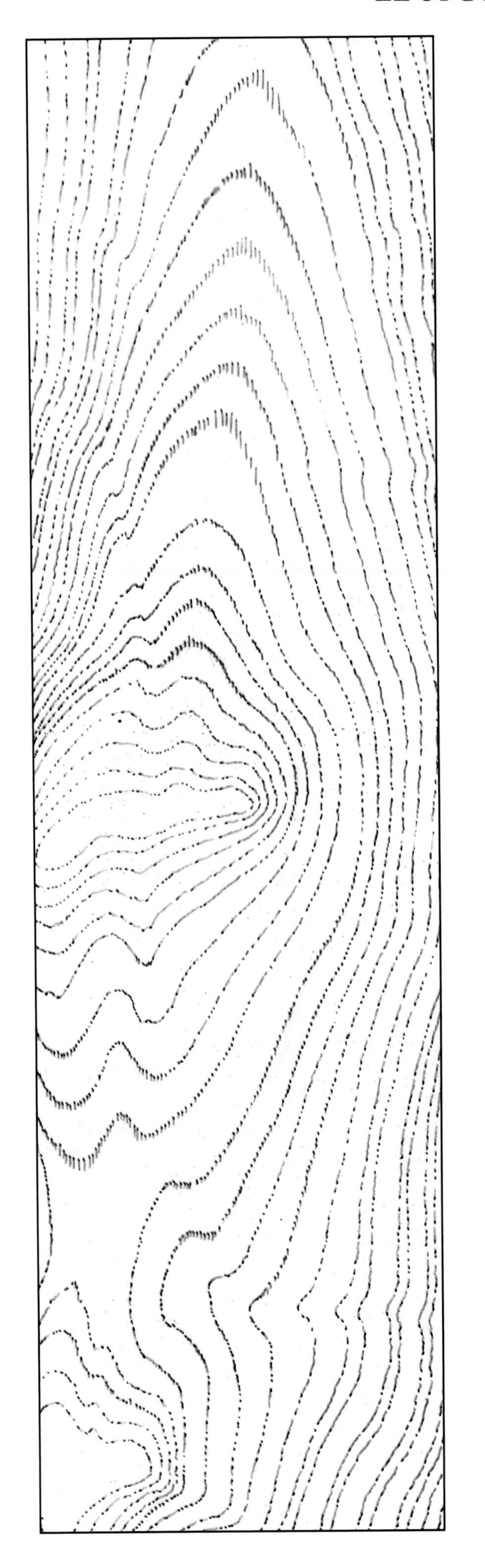

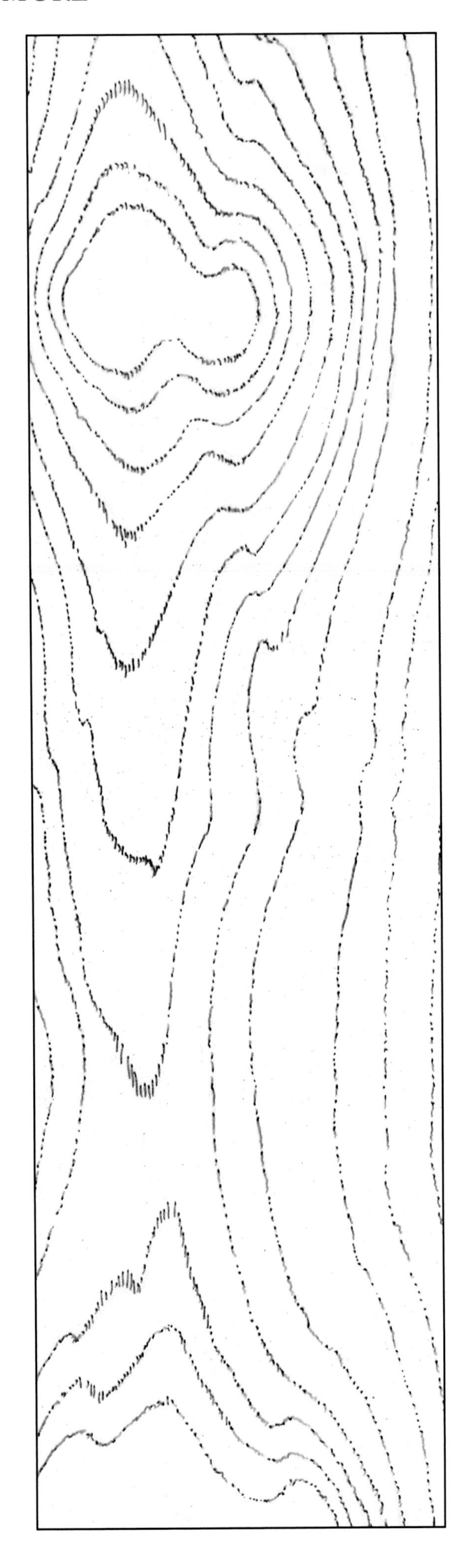

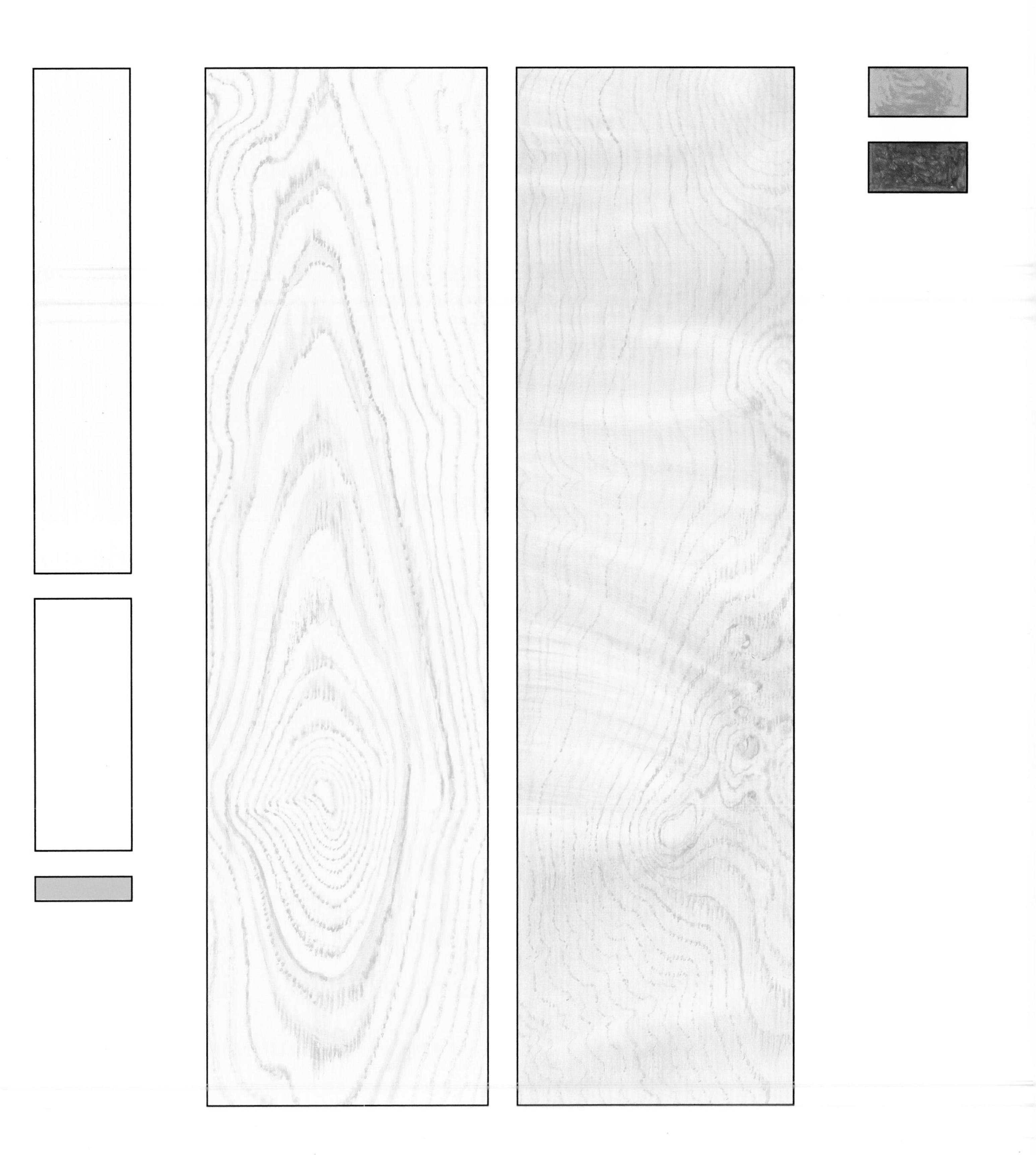

Fond jaune pâle:
(blanc + une pointe d'ocre jaune)

ÉBAUCHE A L'ENCRE

Dessiner à la brosse pointue le veinage de la ronce, étirée et très douce, avec de l'encre ocre jaune très diluée afin d'obtenir une ronce peu marquée
puis blaireauter légèrement l'ensemble.

GLAÇAGE A L'HUILE

avec un glacis légèrement teinté de Sienne naturelle + Sienne brûlée, avec un spalter, glácer l'ensemble de la planche.
Essuyer de nombreux effets au chiffon pour obtenir les moirés puis blaireauter fortement pour bien adoucir ces moirés.
Enfin, repiquer, à la brosse pointue, cette ronce avec une pointe de Sienne naturelle mélangée à de la Sienne brûlée.

LA MARQUETERIE

La marqueterie, dont la technique est antique mais fut redécouverte vers 1450, consiste à évider des parties d'une surface lisse pour les remplacer par d'autres matières:
— bois de toutes sortes et de toutes couleurs,
— métaux plus ou moins précieux: étain, cuivre, argent, or, etc.
— pierres fines, pierres dures,
— matières animales recherchées: ivoire, écaille, nacre, galuchat.

Dans cette technique interviennent de nombreux éléments; en voici quelques-uns spécifiques au bois et qui, combinés ensemble, vont permettre une variation innombrable de décors:
— l'essence et le graphisme particuliers d'un bois (ronces, mailles, loupes, etc.),
— la coupe (en bout, en semelle, en fil, etc.),
— le dessin donné par la coupe, disposé seul ou combiné (frisage, ailes de papillon, etc.) apporte une multitude de motifs, notamment tous ceux à base géométrique et perspective
— enfin, l'emploi du bois dans sa teinte naturelle ou modifiée (colorée ou décolorée) va amplifier ces motifs.

L'emploi de meubles marquetés, tout en finesse et technicité, prendra une grande importance dès l'époque de Louis XIV jusqu'aux années Art Déco.
Le coût élevé de ces superbes réalisations fera reculer l'amateur. Elles deviennent de nos jours exceptionnelles pour le réalisateur et très rares sont les clients.
Fort heureusement, l'exécution en trompe-l'œil permet un prix nettement moindre pour un même but, tout en protégeant des espèces et nos forêts.
Selon le style choisi, il faut évidemment prendre soin d'harmoniser composition et bois. Il est nécessaire aussi de soigner ses coupes au moment de la phase peinture en les délimitant avec du scotch repositionnable par exemple.

Penser également que les bois plaqués sont à utiliser en petites dimensions; ils ne doivent pas excéder 20 cm de large par 80 cm de long.
Si le graphisme principal est trop important, il est intéressant de le dédoubler symétriquement pour amplifier l'effet décoratif.

Après le vernis de finition, souligner les coupes d'un trait fin au rotring noir.

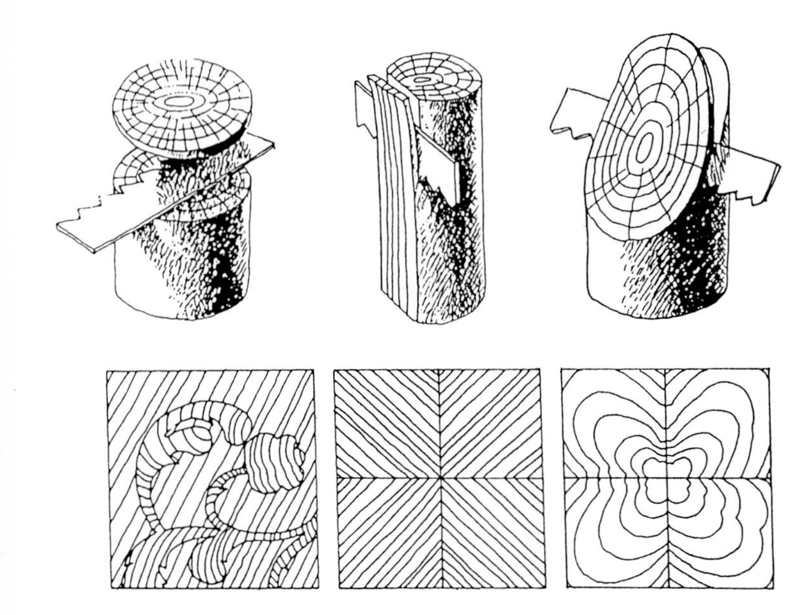

Demi-lune (du centre vers la périphérie)
Loupe de Frêne, Bois de Violette, Ivoire,
Bois de Rose, Ivoire, Loupe de Frêne,
Écaille de tortue, Bois de Violette
(diamètre 1,20 m)

Marqueterie de bois précieux
Citronnier, Bois de Violette, Ébène de Macassar,
Érable, Amarante, Bois de Rose
1 m × 0,70 m

LE CITRONNIER

Fond ocré chaud
(ocre jaune + blanc + ocre rouge)

ÉBAUCHE A L'ENCRE
Avec un jus très tiré d'encre ocre jaune, strier légèrement à l'éponge carrée, battre immédiatement à la queue à battre.
A l'encre (ocre jaune + 1 goutte de sanguine) à la brosse carrée, réaliser des bandes parallèles de différentes largeurs.

Avec une éponge carrée donner de petits coups en travers, sur le travail précédent, afin de laisser apparaître le ton clair du fond.

Battre l'ensemble.

A l'encre sanguine très diluée, renforcer les rayures sombres à la brosse pointue
puis battre en travers à la queue à battre.

GLAÇAGE A L'HUILE
Avec un glacis teinté de Sienne naturelle, glacer au spalter l'ensemble de la planche.

A la brosse carrée sèche, dégager plus ou moins fortement quelques endroits, ce qui donnera les parties lumineuses de la planche.

Battre l'ensemble à la queue à battre.

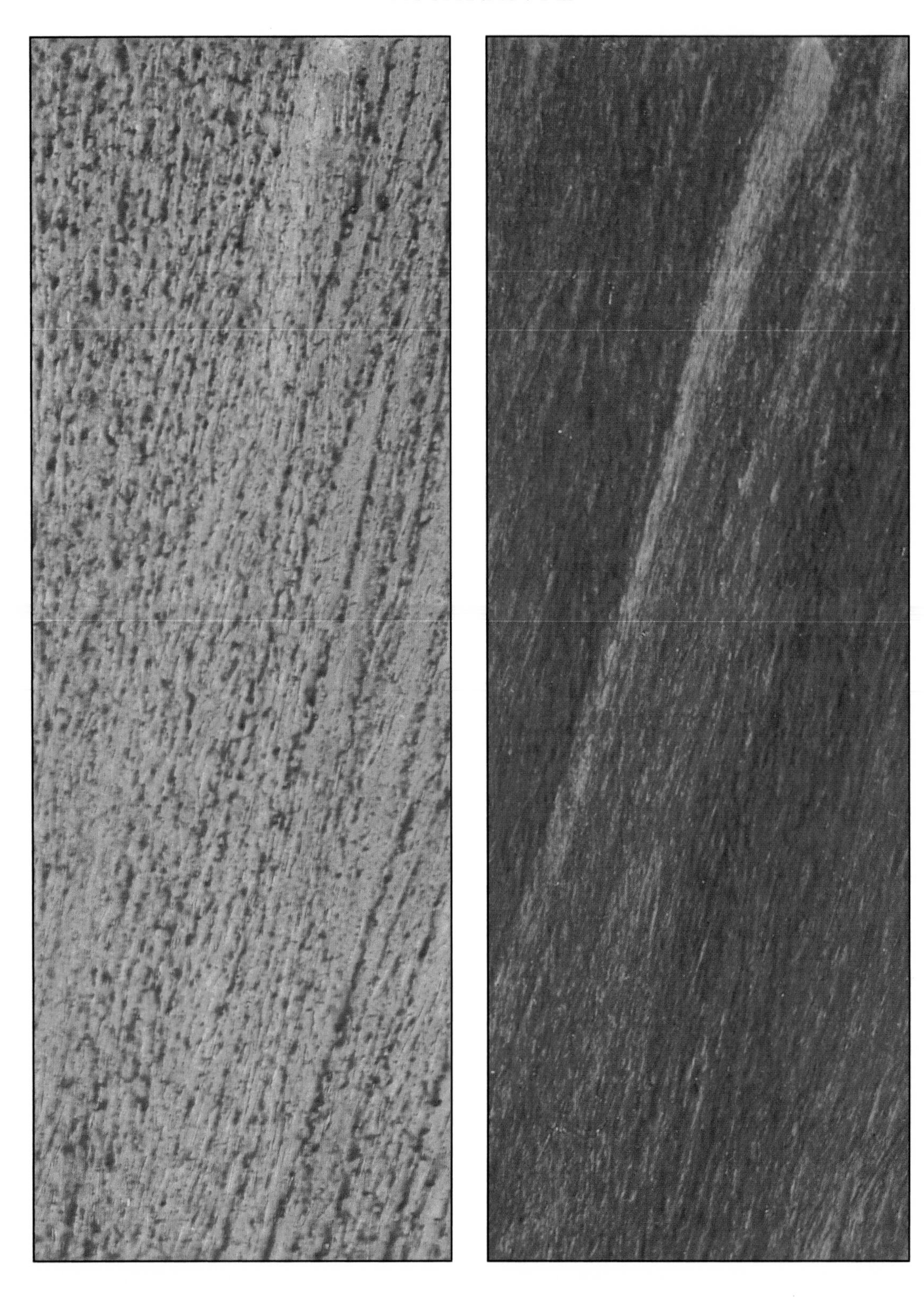

Fond ocre rosé :
(blanc + ocre rouge + ocre jaune)

ÉBAUCHE A L'ENCRE :
Première opération
Avec de l'encre Sienne brûlée diluée, glacer au spalter l'ensemble du travail
puis strier avec une éponge carrée
battre aussitôt pour obtenir le grain du bois.

Deuxième opération
Avec un mélange de Sienne brûlée et d'ombre brûlée, reglacer au spalter l'ensemble,
puis strier encore une fois pour obtenir les parties claires.

Renforcer à la brosse carrée et avec de l'ombre brûlée quelques endroits afin d'obtenir des rayures larges,
battre l'ensemble encore une fois.

GLAÇAGE A L'HUILE
Avec un glacis teinté de bleu outremer, de laque carminée et d'ombre brûlée ou de Brun Van Dyck,
glacer au spalter l'ensemble pour assombrir le travail,
puis, au chiffon imbibé d'un peu de glacis incolore, essuyer quelques rayures pour faire ressortir le fond clair.

Rehausser, à la brosse carrée avec un mélange d'ombre brûlée et de bleu outremer, quelques points forts,
battre l'ensemble pour achever le travail.

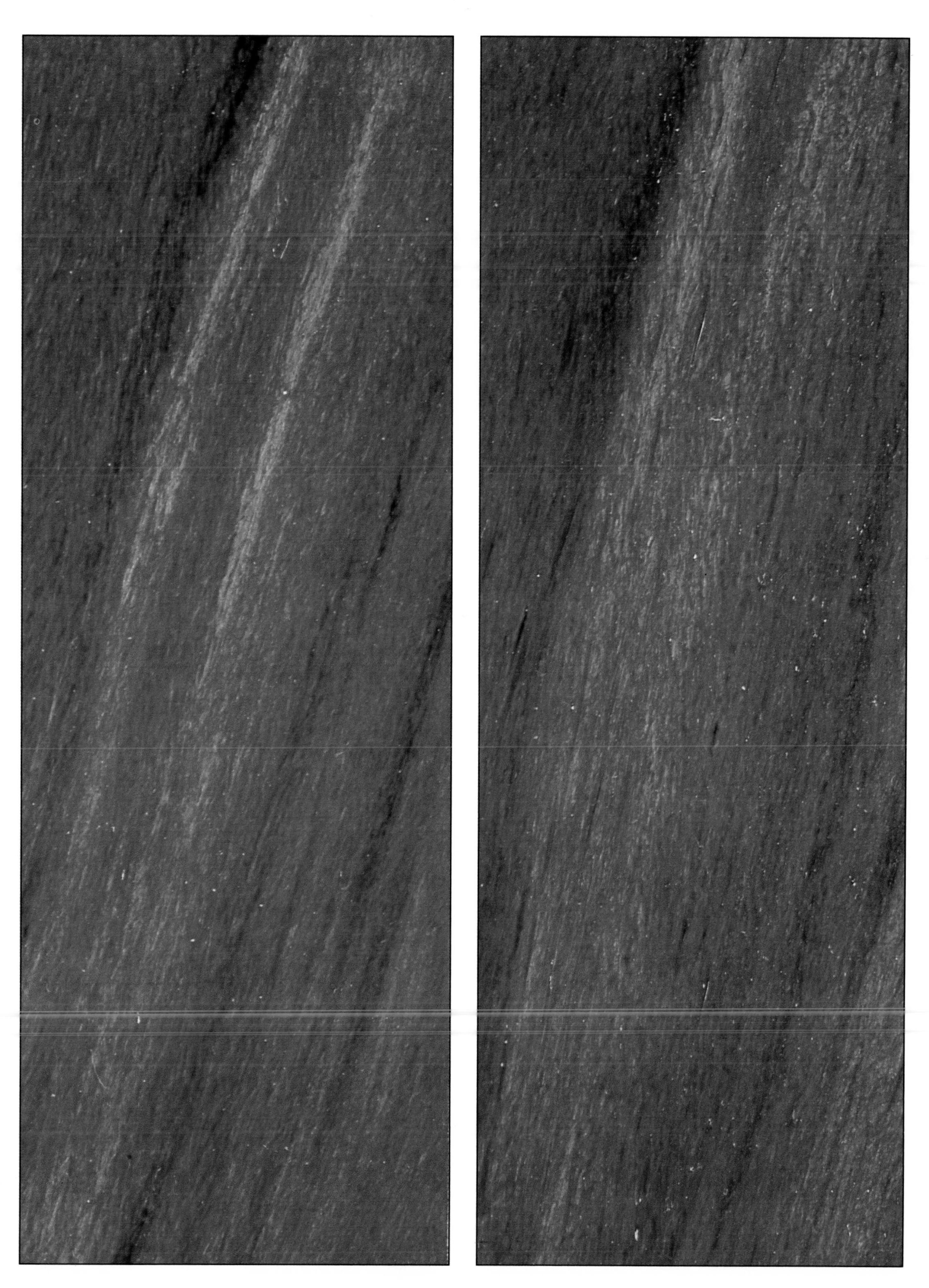

L'ÉRABLE

Fond sable :
(blanc + une pointe d'ocre jaune + une pointe d'ocre rouge).

ÉBAUCHE A L'ENCRE :

Première opération
Avec de l'encre Sienne naturelle diluée glacer l'ensemble au spalter,
puis à l'éponge carrée essuyer par endroits pour réaliser les premiers moirés de base.

Adoucir ce travail pour obtenir de beaux effets.

Deuxième opération
A la brosse carrée avec de l'encre Sienne naturelle très diluée, accentuer les moirés,
puis avec le bout des doigts humides d'eau, réaliser en tapotant, les « mouches » sur l'ensemble de l'Érable. Elles doivent être à peine marquées.

Troisième opération
A la brosse pointue avec de la Sienne naturelle, entourer les mouches en un réseau constituant la ronce ; celui-ci sera extrêmement fin et contourné sans trop charger.
Blaireauter pour adoucir et pour garder la profondeur,
avec de la Sienne naturelle et à la brosse pointue, repiquer légèrement le cœur de certaines ronces en intensifiant quelques mouches, au doigt comme précédemment.

GLAÇAGE A L'HUILE

Avec un glacis teinté de Sienne naturelle + une pointe d'ombre brûlée,
glacer très légèrement l'ensemble au spalter,
essuyer au chiffon entourant l'index quelques endroits pour donner les moirés ;
puis à la brosse carrée avec un peu d'ombre brûlée + Sienne naturelle,
« réveiller » quelques-uns de ces moirés.
Adoucir au blaireau pour finir ce travail.

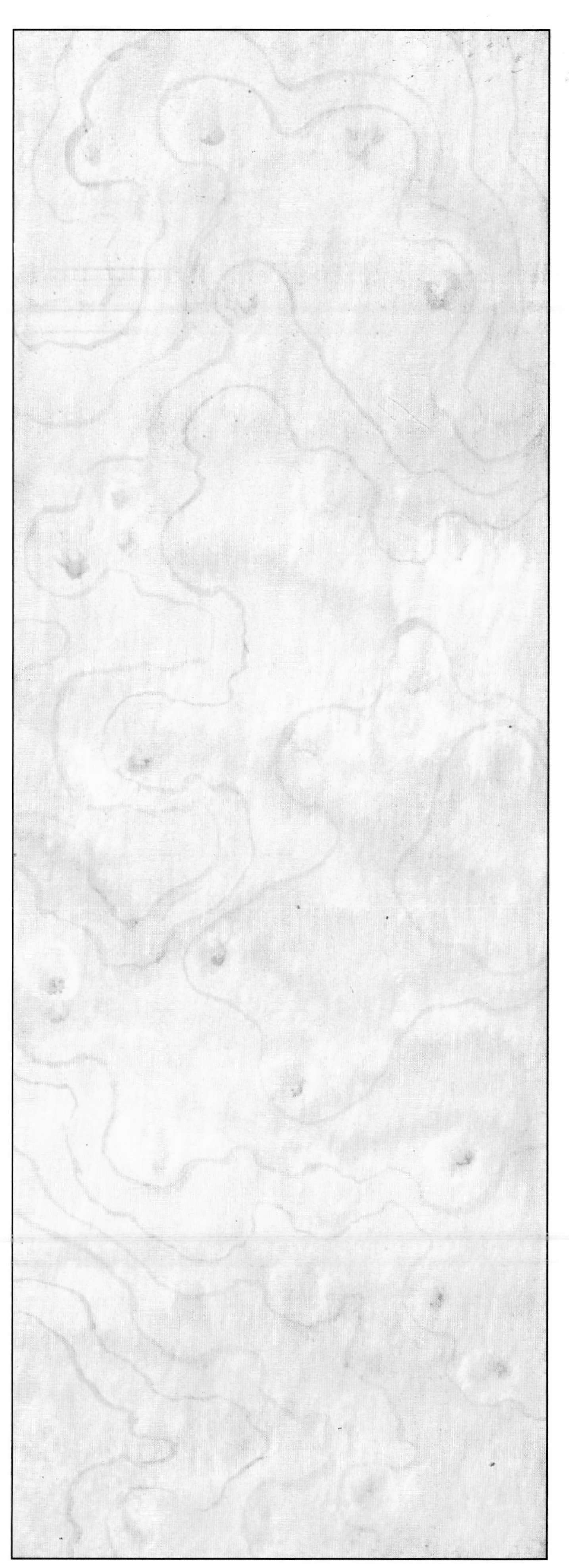

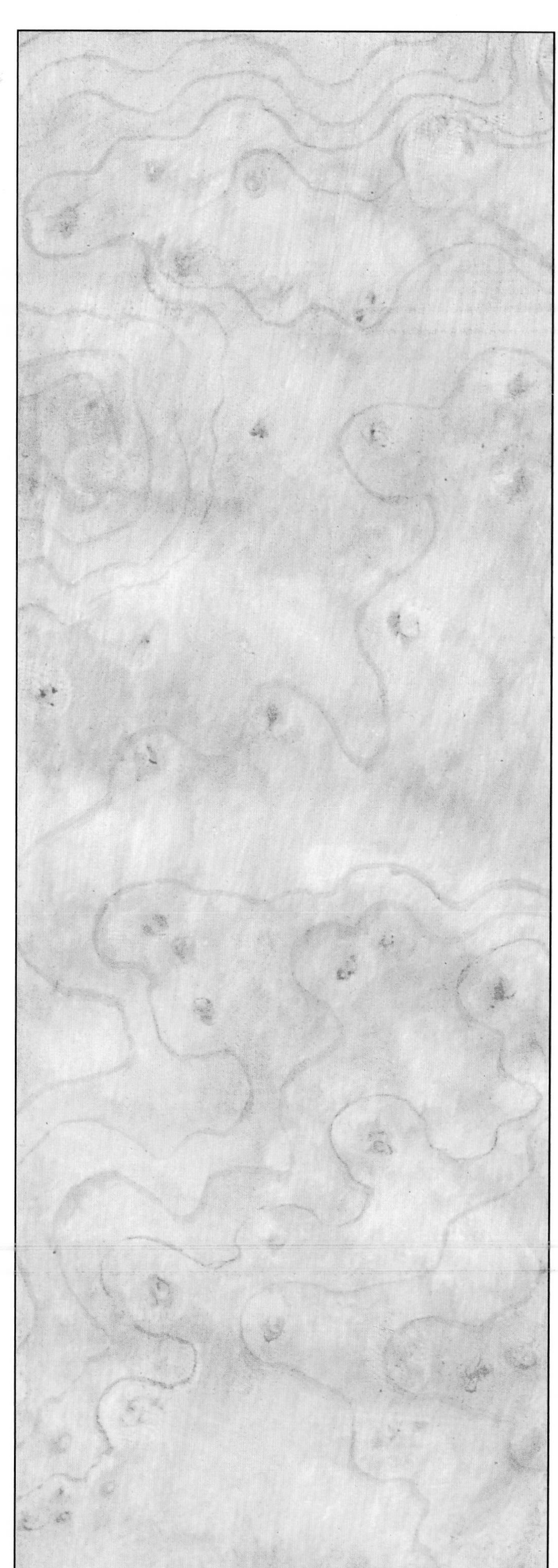

LE BOIS DE ROSE

Fond jaune pâle:
(blanc + jaune de chrome).

ÉBAUCHE A L'ENCRE:
Première opération
Avec de l'encre Sienne brûlée diluée,
glacer au spalter l'ensemble de la planche
puis strier à l'éponge carrée, plus ou moins fort, de façon
à obtenir des parties claires et des parties sombres.

Battre l'ensemble avant séchage.

Deuxième opération
A la brosse carrée avec de l'encre Sienne brûlée repiquer ces
effets de rayures en les renforçant.

Battre une seconde fois pour les intégrer.

GLAÇAGE A L'HUILE
Avec un glacis teinté de Sienne brûlée, de laque carminée,
de noir, glacer l'ensemble au spalter,
puis à la brosse carrée avec du noir et de la laque carminée,
rehausser des parties plus sombres.

Essuyer au chiffon des parties claires,
assombrir encore quelques lignes à la brosse carrée et à la
Sienne brûlée.

Battre une dernière fois l'ensemble du travail.

L'ÉBÈNE DE MACASSAR

Fond jaune moyen légèrement rougeâtre
(ocre jaune + ocre rouge + blanc)

ÉBAUCHE A L'ENCRE:

Première opération

Avec de l'encre sanguine recouvrir l'ensemble de la planche au spalter
strier aussitôt avec une petite éponge carrée, en variant la largeur des enlevés et en laissant parfois apparaître le fond,
battre l'ensemble
laisser bien sécher

Deuxième opération

A la brosse pointue ou carrée repiquer l'ébauche à l'encre noire diluée en réalisant des lignes plus ou moins serrées dans les parties sombres,
battre avant séchage,

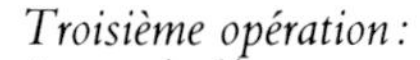

Troisième opération:

Avec de l'encre sanguine et une brosse carrée légèrement évasée,
placer de fines lignes sur l'ensemble de la planche.

GLAÇAGE A L'HUILE

Avec un glacis teinté d'ombre brûlée, glacer l'ensemble de la planche, à la brosse pointue
renforcer les parties sombres avec un jus de noire d'ivoire.

Avec une brosse carrée et du glacis incolore, évider quelques lignes dans les parties claires.

Battre l'ensemble.

LE BOIS DE VIOLETTE

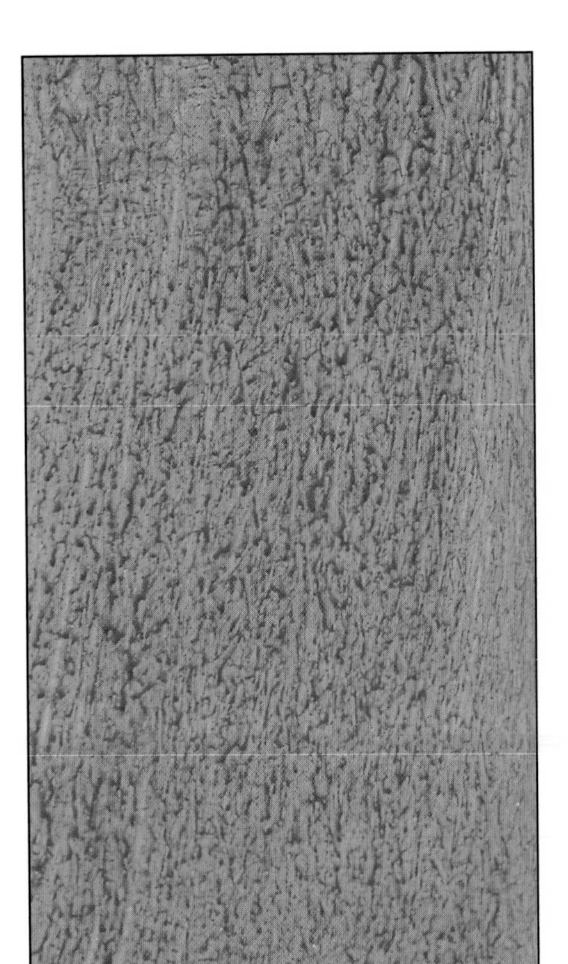

Fond rouge ocré :
(rouge de Mars + ocre jaune + blanc + jaune de chrome).

ÉBAUCHE A L'ENCRE :
Première opération
Avec de l'encre sépia, glacer au spalter l'ensemble de la planche,
battre aussitôt

Deuxième opération ;
A la brosse pointue avec de l'encre noire et de l'encre rouge magenta, réaliser le graphisme d'une ronce petite, simple, serrée,
(certaines ronces pourront être parfois très sombres, parfois très rouges et lumineuses),
toujours à la brosse pointue avec les mêmes teintes réaliser le graphisme du bois de fil d'accompagnement.

Ces graphismes doivent comporter des rayures sombres tantôt groupées, tantôt distantes laissant apparaître alors le fond rouge.

GLAÇAGE A L'HUILE
Avec un glacis teinté de Brun Van Dyck + bleu outremer + laque carminée
et au spalter, glacer l'ensemble de la planche.

Avec du noir + pointe de bleu outremer et la brosse pointue, repiquer les sommets des anneaux les plus sombres de la ronce.

Battre l'ensemble à la queue à battre.

Dessus de table en Palissandre
incrusté d'Ivoire et de Galuchat
1,20 m × 0,70 m

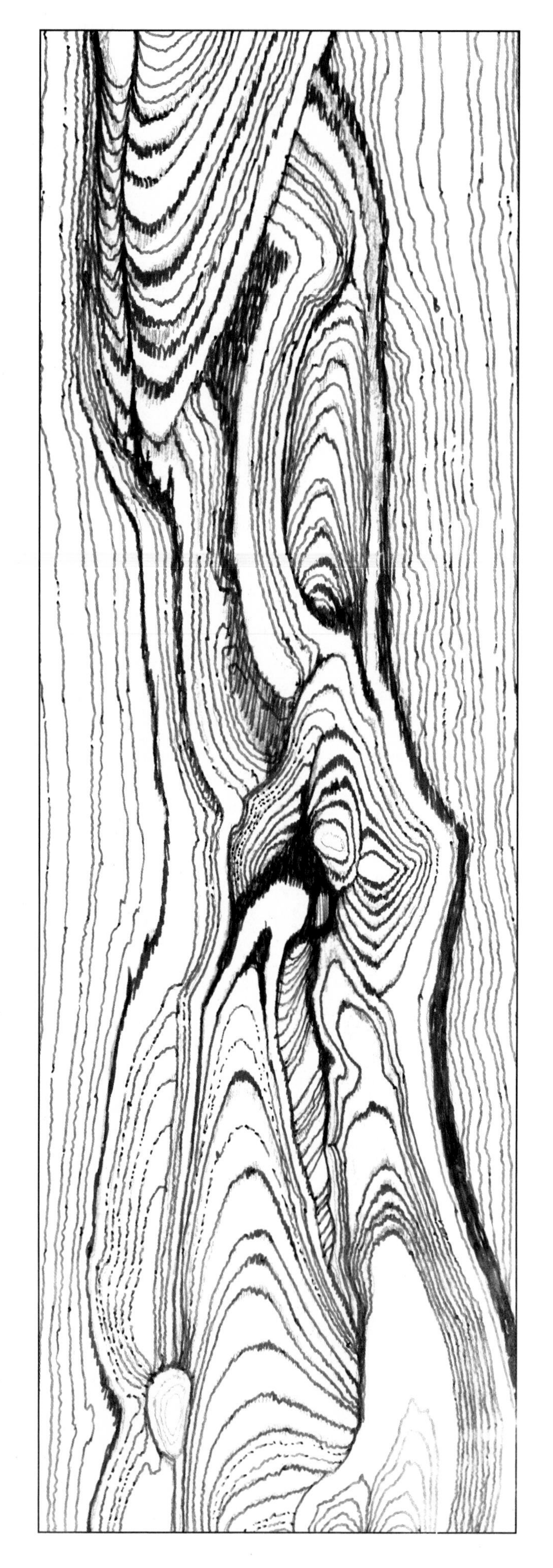

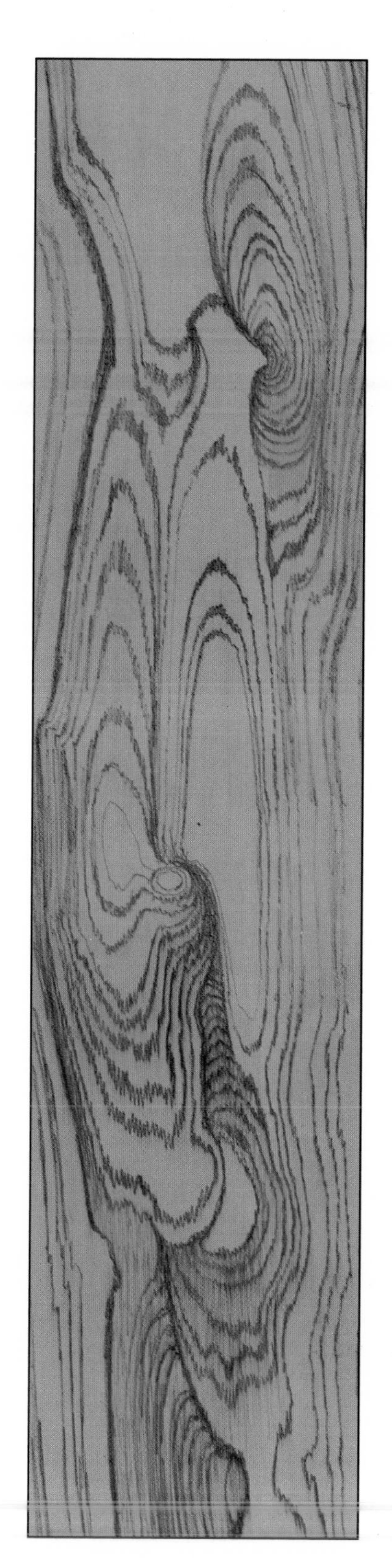

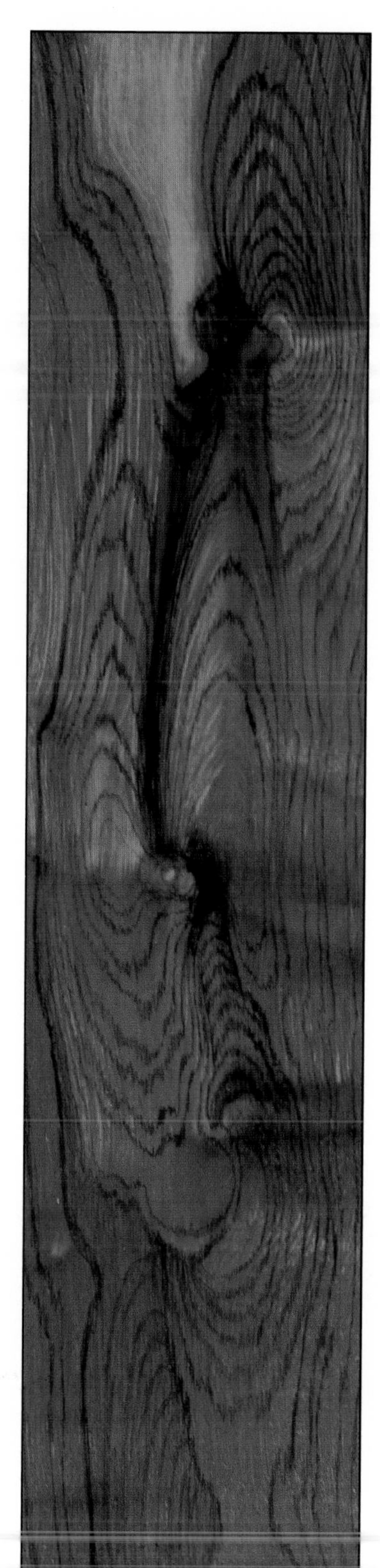

Contrairement aux autres bois, l'ébauche du Palissandre ne se réalise pas à l'encre sur un fond satiné.
Fond «orange terni» (orange vif cassé par un peu d'ocre jaune) réalisé en un mélange de 70 % de laque satinée + 30 % de laque mate.
Sur ce fond demi-mat, passer un glacis incolore à l'huile, au spalter,
puis dans le frais de ce glacis, réaliser au crayon Conté le dessin de la ronce.
Adoucir légèrement.

GLAÇAGE A L'HUILE
Avec un glacis teinté de laque carminée, de Sienne brûlée, de noir, d'ombre brûlée, glacer au spalter l'ensemble.

A la brosse carrée avec du noir et de la laque carminée renforcer quelques effets de la Ronce,
essuyer au chiffon quelques endroits pour apporter des parties plus claires donnant des ondulations.

Blaireauter l'ensemble pour achever ce travail.

LE CHÊNE

Son bois dur sert principalement pour des constructions robustes. On trouve également des meubles plus légers en chêne ; ceux-ci sont composés d'une armature et de placages, ce qui abaisse leur coût.
Chêne clair ou jeune, chêne moyen, vieux chêne s'offrent à nous. Pour les réaliser, la méthode est identique, seuls les tons changent.

Pour les fonds
— chêne clair : fond jaune pâle (ocre jaune + jaune de chrome + blanc)
— chêne moyen : fond jaune soutenu (ocre jaune + Sienne naturelle + jaune de chrome + blanc)
— vieux chêne : fond ocré vieilli (Sienne naturelle + ocre rouge + ombre brûlée, blanc).

Pour l'ébauche à l'encre indélébile
— chêne clair : encre noire/bleutée diluée à 75 %
— chêne moyen : encre noire/bleutée diluée à 50 %
— vieux chêne : encre noire/bleutée pure

Pour le glaçage à l'huile
— chêne clair : Sienne naturelle + ombre naturelle + ombre brûlée
— chêne moyen : Sienne naturelle + ombre brûlée
— vieux chêne : ombre brûlée

Panneau de mailles de Chêne avec fausses moulures 1,10 m × 0,80 m)

Dessus de table en ronce de Chêne sur patine,
Trompe-l'œil de feuille de Chêne avec gland
1,20 m × 0,70 m

RÉALISATION D'UN CHÊNE MOYEN

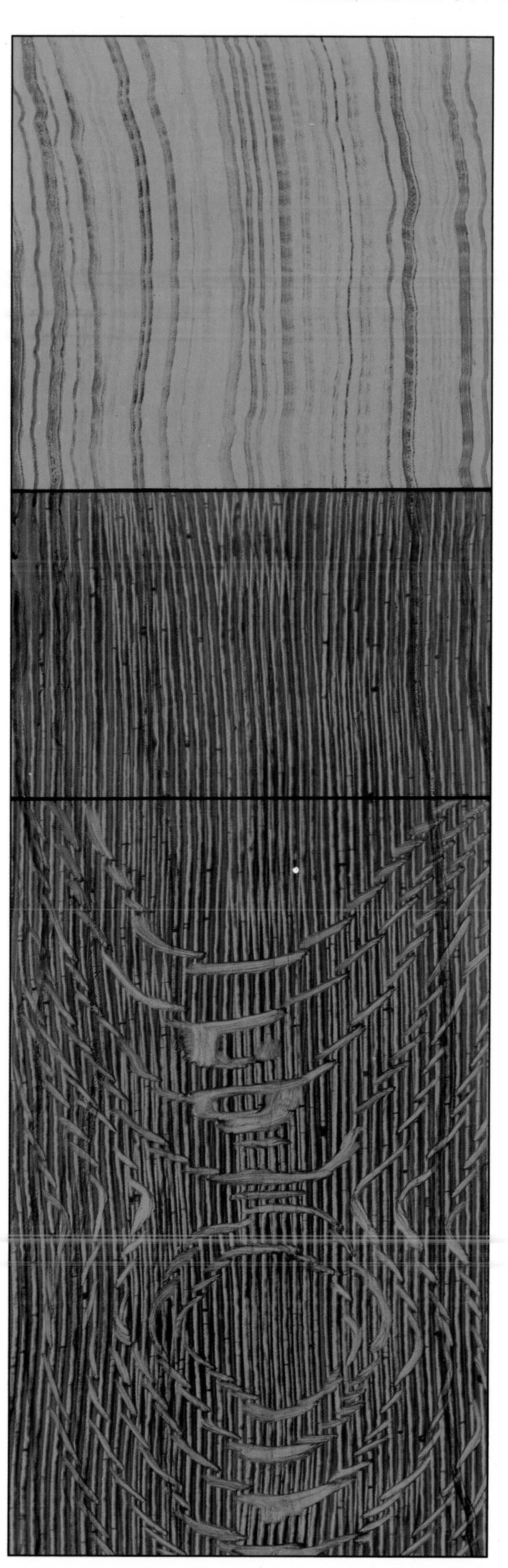

Ma méthode est pratiquement identique à celle des anciens Maîtres-Décorateurs, à ceci près que mon ébauche à l'encre permet d'obtenir dès le départ, et en quelques minutes, un résultat qui aurait demandé quinze heures environ en méthode ancienne. Pour obtenir un travail soigné, après mon ébauche, je réalise deux glaçages. Technique moderne + technique à l'huile vont me permettre ce résultat en deux jours au lieu de quatre.

ÉBAUCHE A L'ENCRE
A la veinette avec de l'encre noire/bleutée, glacer l'ensemble de la planche en simulant un veinage légèrement ondulant.

Cette opération, lorsque le chêne sera achevé, réapparaîtra en transparence sous les mailles et sous la ronce, ce qui apportera un effet assez réaliste à notre imitation.

GLAÇAGE A L'HUILE
Teinté avec Sienne naturelle + ombre brûlée
Étendre le glacis à la veinette ou au spalter; laisser prendre quelques minutes; il sera ainsi plus facile de réaliser des enlevés.

Prendre une toile à chiffonner que vous passerez sur votre glacis en gardant le sens des ondulations et en appuyant plus ou moins fort selon que l'on désire des parties plus ou moins claires.

Avec un peigne moyen en acier, rayer l'ensemble de la planche pour accentuer le veinage du bois.

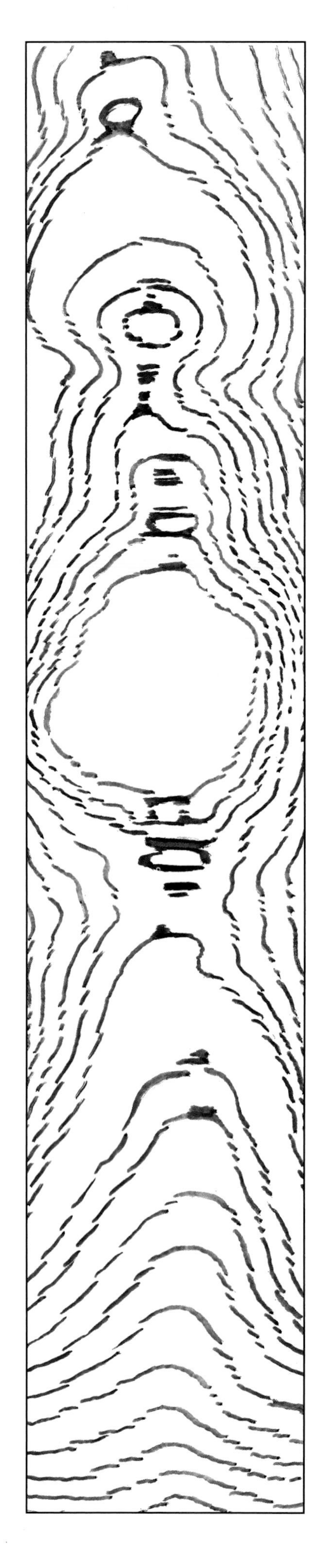

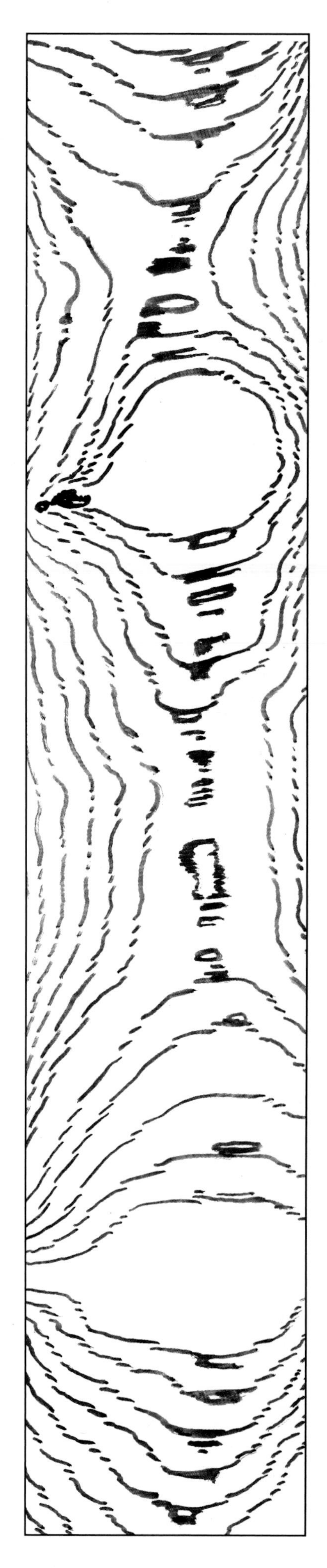

RÉALISATION DE MAILLES

Avec un bouchon taillé en biseau et recouvert d'un chiffon doux tenu entre le pouce et l'index, pratiquer des enlevés qui seront les mailles.

Il faut évidemment, avant d'exécuter ces mailles, bien regarder le graphisme de celles-ci afin d'obtenir une planche harmonieuse.

Fondre au spalter très légèrement ces effets,
pratiquer quelques petits dépouillés (appelés camelots) avec un chiffon roulé, entre les parties vides des mailles,
puis, un léger «coup de peigne fin».

Pour un travail soigné, il est souhaitable d'attendre le lendemain pour réaliser le deuxième glaçage.

REGLAÇAGE DES MAILLES:
Avec un glacis légèrement teinté d'ombre brûlée, glacer l'ensemble de la planche,
puis réaliser quelques enlevés au chiffon. Ceux-ci donneront le mouvement et les ondulations de la planche.

Placer avec de l'ombre brûlée des touches sombres en accompagnement de mailles,
enfin, pour parfaire cette planche, avec une veinette imbibée de glacis incolore ou d'essence, réaliser sur le cœur des mailles un mouvement d'ondulation reprenant le premier effet donné lors de l'ébauche à l'encre.

Adoucir l'ensemble délicatement.

GRAPHISME DE RONCE

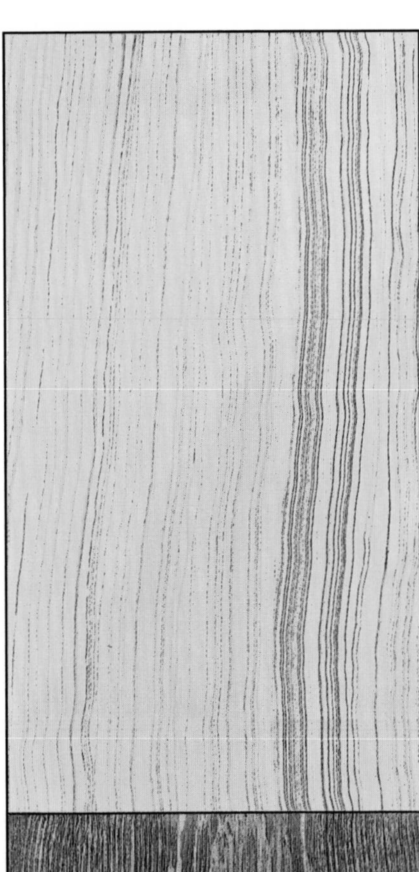

Avec un bouchon recouvert de tissu (préparé comme précédemment),
réaliser la ronce en commençant par le cœur, en hachurant tous les anneaux ;
voir comme précédemment, avant de réaliser cette ronce, son graphisme.

Avec une toile à chiffonner, rayer pour accompagner cette ronce,
puis, avec une martre carrée de 8 mm «redescendre» la teinte de chaque anneau de façon à déposer cette teinte sur l'anneau inférieur, toujours avec un mouvement hachurant

Avec un peigne moyen, rayer l'accompagnement de la ronce ;
avec un peigne fin, rayer légèrement le cœur de la ronce.

REGLAÇAGE DE LA RONCE :
Avec un glacis teinté d'ombre brûlée glacer l'ensemble de la planche,
essuyer le cœur ainsi que l'accompagnement pour donner des ondulations, des moirés qui feront vivre la ronce,
renforcer par quelques touches d'ombre brûlée, légèrement adoucies au spalter.

Il est également possible de placer parfois ces petites touches sur le côté d'un cœur, pour donner un joli mouvement à la ronce.

Maquette d'un Caisson Renaissance (1 m × 1 m)

Caisson Renaissance en Chêne avec une rosace en Loupe de Frêne.
Petit Listel en Ivoire, mouluration en trompe-l'œil
1,30 m × 1,30 m

Destinée à cet objectif de très haut niveau, cette imitation de Chêne est poussée. Le panneau central est composé d'une partie basse avec deux planches de mailles et une de ronce, et d'une partie haute avec quatre planches de mailles et bois de fil placées à l'horizontale. Une multitude de petits traits serrés réalisés en repiquage à la martre pointue simulent les fils et les pores du bois. L'ornementation simple des fleurettes exécutée sur chaque planche est faite en dégradé sur le Chêne achevé, tandis que les sculptures rapportées et la mouluration sont réalisées sur un Chêne léger afin de ne pas nuire à l'effet de relief.

Panneau central d'un triptyque Régence
Œuvre de concours Médaille d'Or des Meilleurs Ouvriers de France
1,30 m × 2,10 m

Dédoublé d'If bordé de Loupe d'Orme,
quatre médaillons d'If en angle (1,20 m × 0,80 m)

LA LOUPE D'ORME

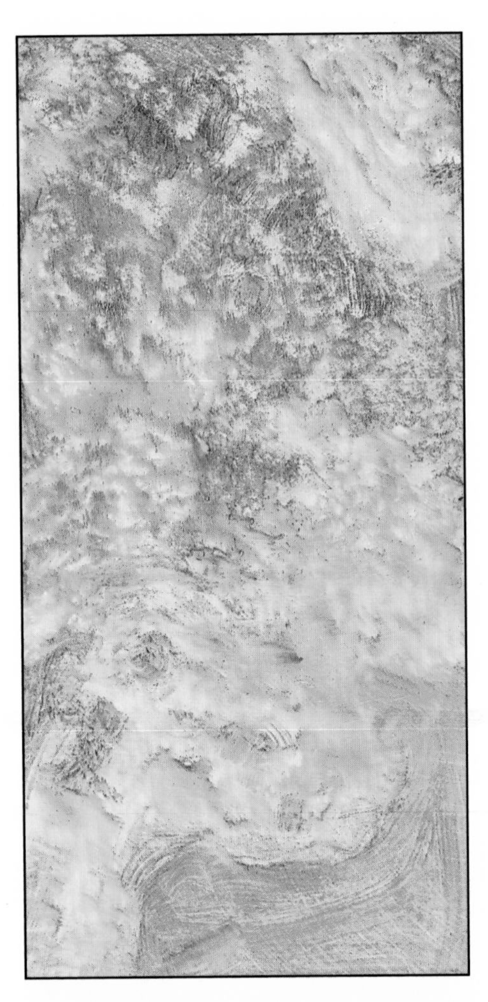

Fond miel :
(ocre jaune + blanc + une pointe d'ocre rouge).

ÉBAUCHE A L'ENCRE :
Première opération
Avec de l'encre Sienne naturelle diluée, glacer au spalter
l'ensemble du travail,
puis avec une éponge carrée faire des enlevés et blaireauter.

Deuxième opération :
A la brosse carrée avec de l'encre Sienne brûlée + ombre
brûlée, renforcer quelques effets sombres,
puis blaireauter.

Avec le même mélange d'encres,
sur les endroits qui constitueront plus tard les nœuds groupés
(de petite et moyenne importances),
cercler à la brosse pointue en formant des réseaux autour de
ces nœuds, d'une manière délicate.

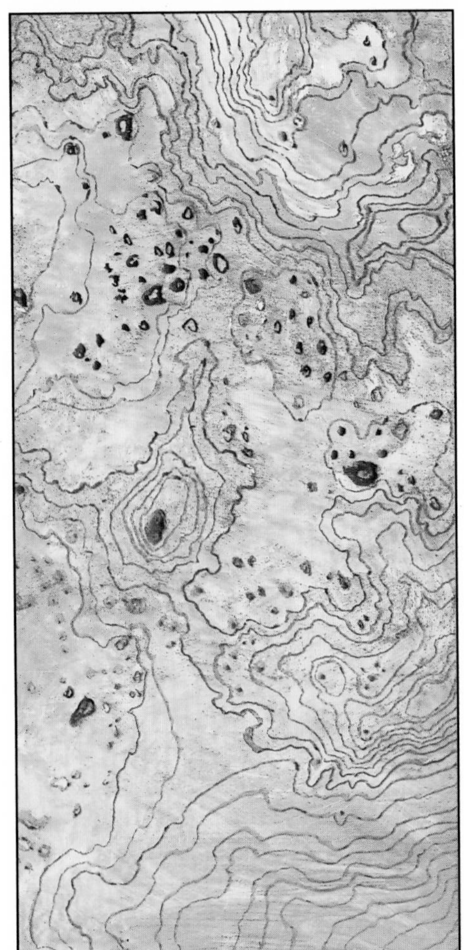

GLAÇAGE A L'HUILE :

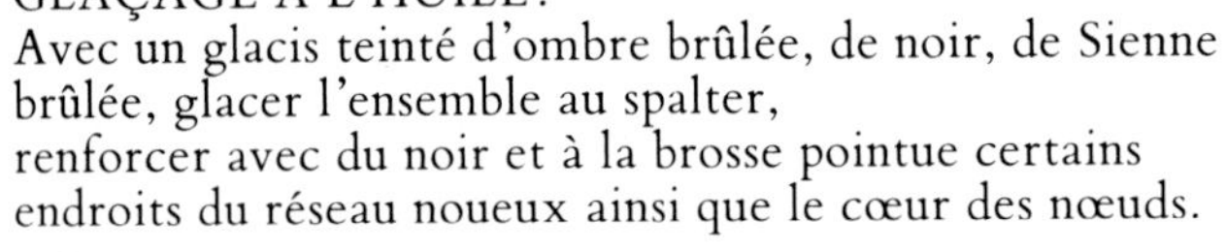

Avec un glacis teinté d'ombre brûlée, de noir, de Sienne
brûlée, glacer l'ensemble au spalter,
renforcer avec du noir et à la brosse pointue certains
endroits du réseau noueux ainsi que le cœur des nœuds.

Réaliser quelques essuyés dans les parties claires,
puis blaireauter le tout.

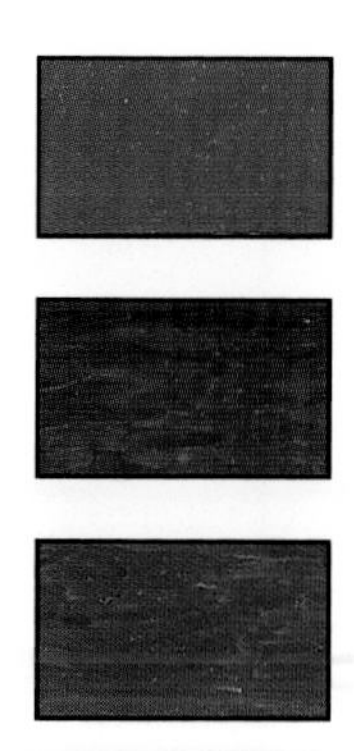
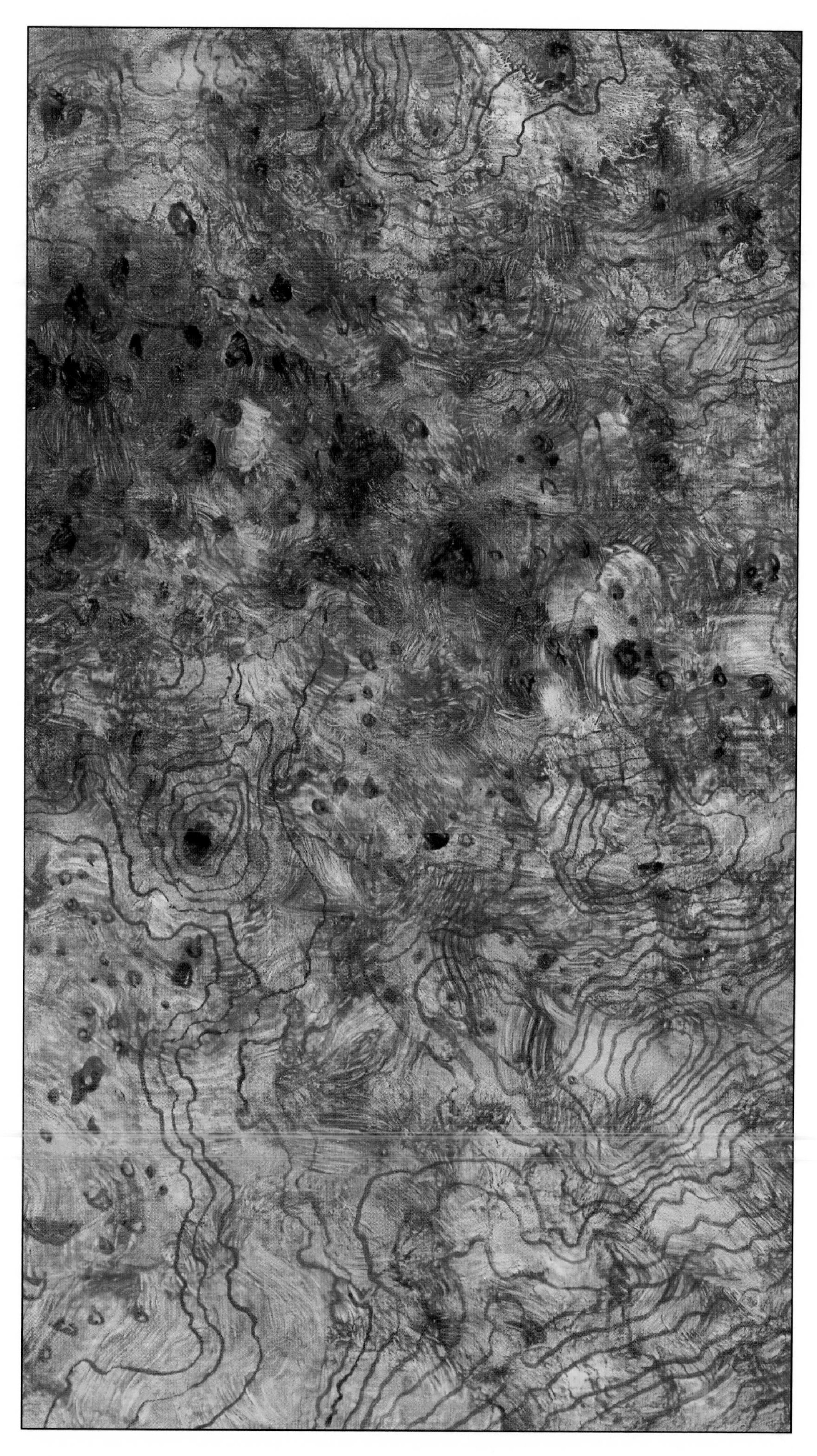

L'IF

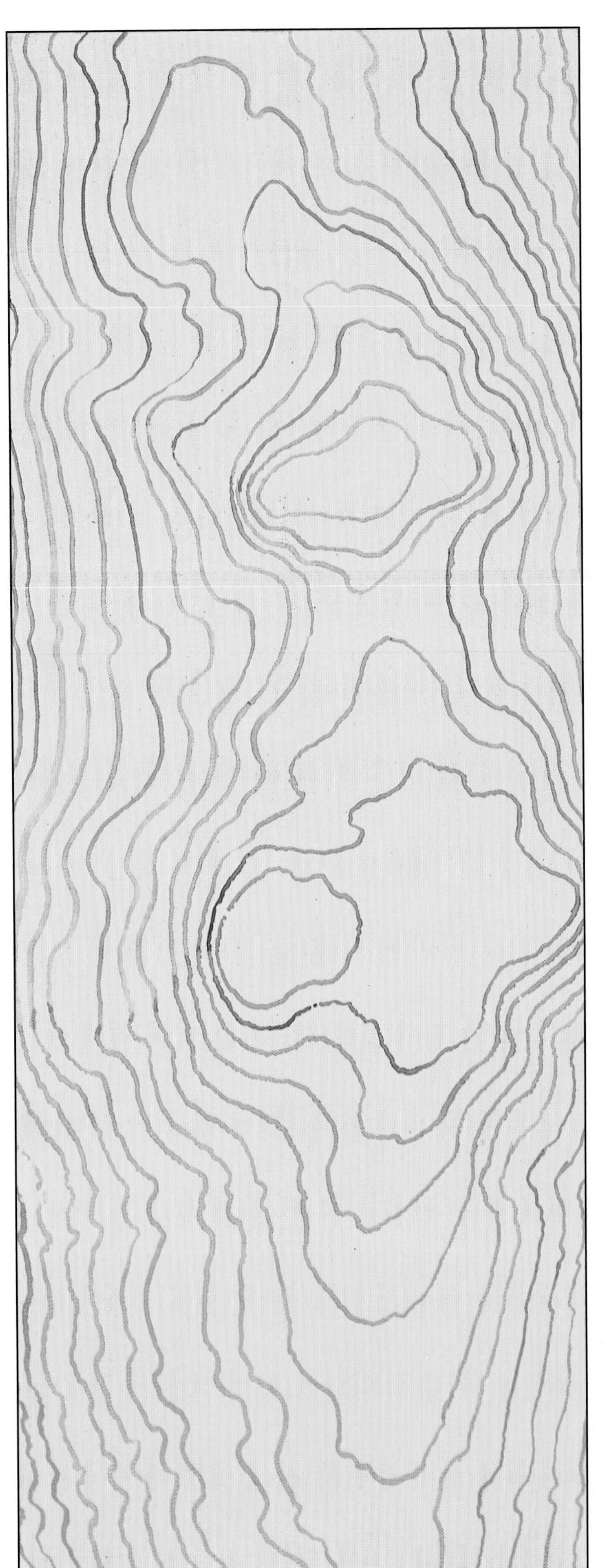

Fond jaune pâle :
(ocre jaune + jaune de chrome + blanc).

ÉBAUCHE A L'ENCRE :
Avec de la Sienne naturelle plus une goutte de noire, réaliser à la brosse pointue le réseau très sinueux de la ronce.

GLAÇAGE A L'HUILE :
Avec un glacis teinté légèrement de Sienne brûlée et de jaune de chrome, glacer au spalter l'ensemble de la planche, essuyer au chiffon des parties claires pour obtenir des moirés, des ondulations, renforcer à la brosse carrée, avec de la Sienne brûlée, les parties sombres, puis blaireauter l'ensemble.

Présenter à la brosse pointue des petits nœuds d'ombre brûlée dans le cœur de la ronce, adoucir le tout au blaireau.

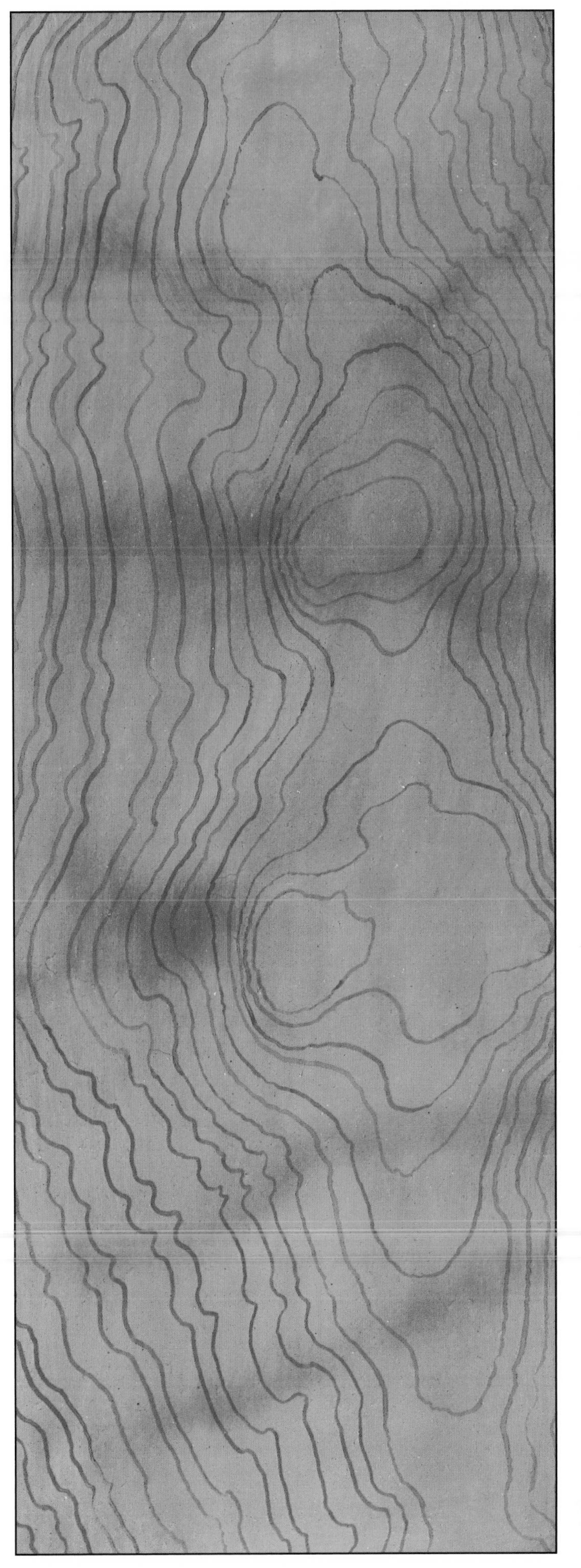

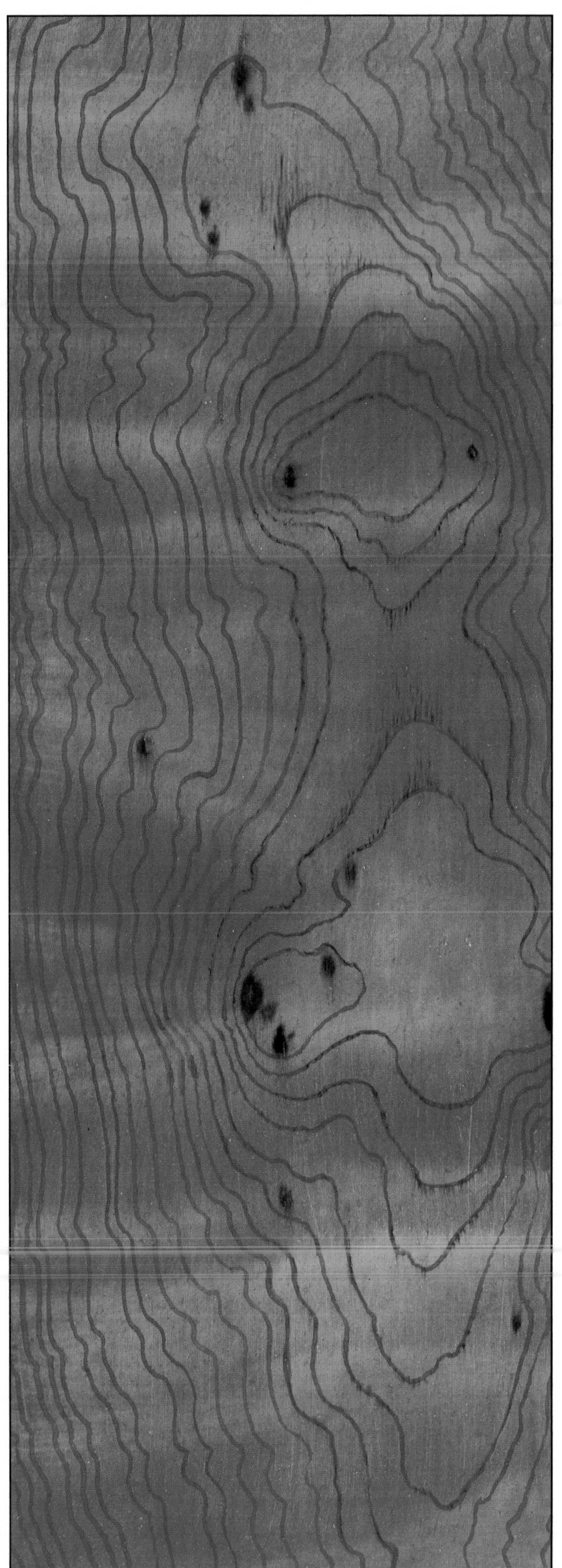

Maquette pour panneau gauche d'un paravent, feuilles et encadrement en Merisier.
Fond Loupe de Thuya et retour de feuilles en Chêne vert
1,10 m × 0,80 m

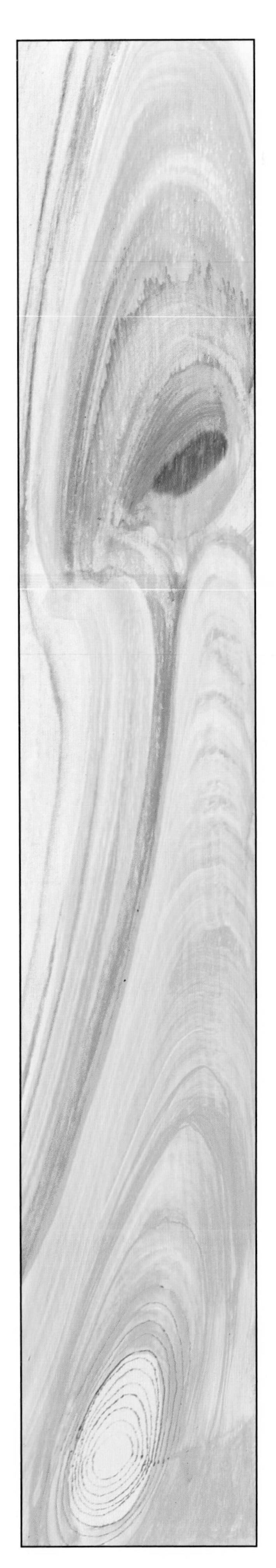

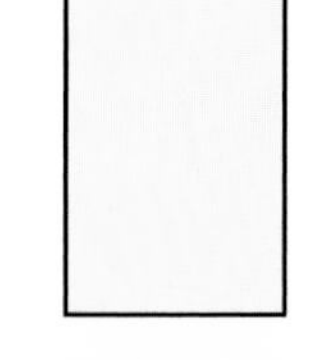

Fond jaune paille :

ÉBAUCHE A L'ENCRE :
Avec encres de Sienne brûlée, Sienne naturelle, ombre brûlée, noire, bleu outremer et à la brosse carrée, réaliser la forme principale de la ronce, puis glacer l'ensemble de la planche avec un jus de Sienne brûlée.

Aussitôt, à l'éponge carrée humide, effectuer des dépouillés en gardant la forme de la ronce puis blaireauter légèrement.

GLAÇAGE A L'HUILE :
Avec un glacis teinté d'ombre brûlée et de Sienne brûlée, repréciser quelques anneaux de cette ronce, blaireauter pour adoucir ; déposer par endroits quelques touches d'ombre brûlée afin d'amplifier les moirés.

Adoucir l'ensemble une dernière fois.

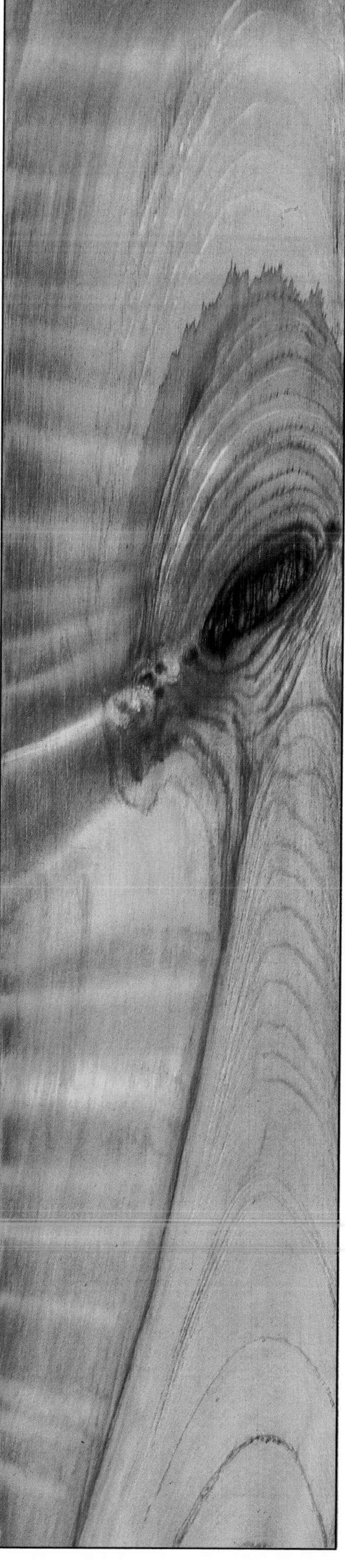

LE THUYA

Fond orange vif

ÉBAUCHE A L'ENCRE:
Première opération
Avec ocre jaune + une goutte de rouge +
une goutte de noir,
glacer au spalter l'ensemble,
puis à l'éponge carrée ou au chiffon faire
des enlevés qui constitueront les parties claires.

Blaireauter pour adoucir.

Deuxième opération
Avec ce même mélange d'encres, à la brosse pointue,
présenter quelques petites mouches
sur les parties noueuses,
puis réaliser un réseau très délicat
entourant ces mouches;
blaireauter l'ensemble encore une fois.

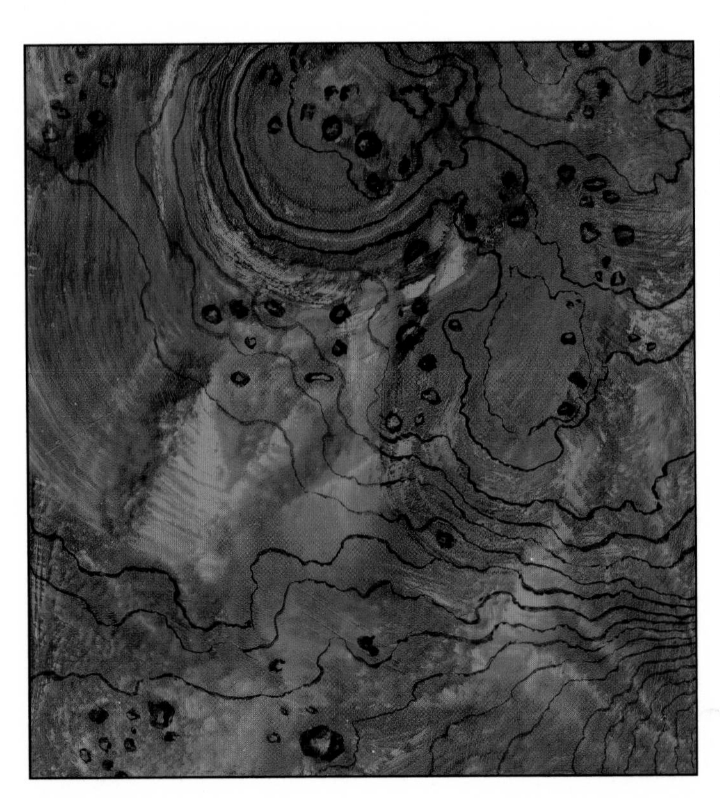

GLAÇAGE A L'HUILE:
Avec un glacis teinté de laque carminée, d'ombre
brûlée, glacer l'ensemble au spalter,
essuyer au chiffon pour obtenir les moirés
et les ondulations.

Avec un chiffon doux imbibé de glacis incolore,
sur le cœur des nœuds,
réaliser des petits dépouillés,
puis blaireauter délicatement.

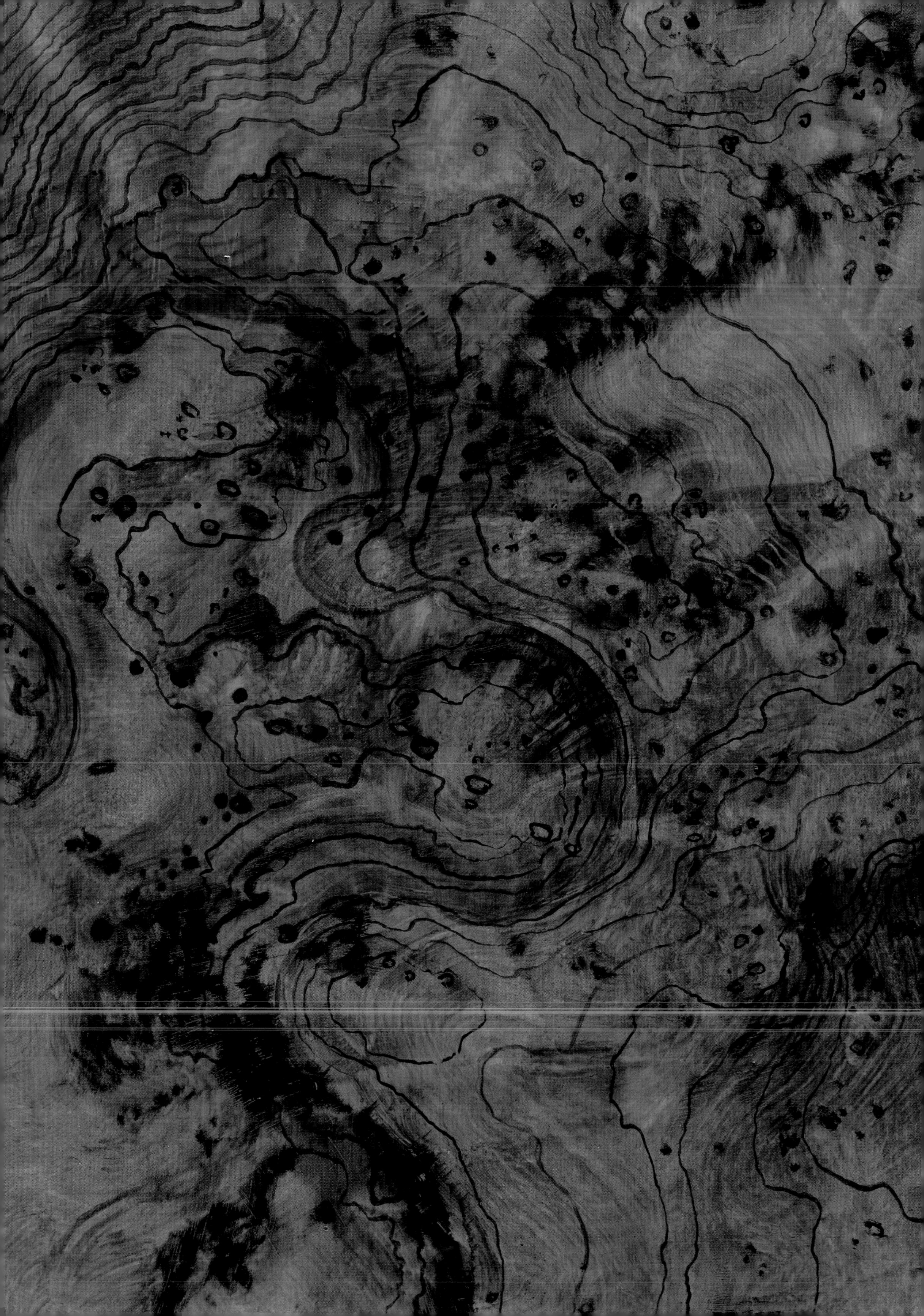

LE SAPIN

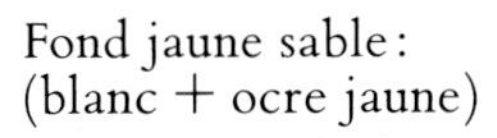

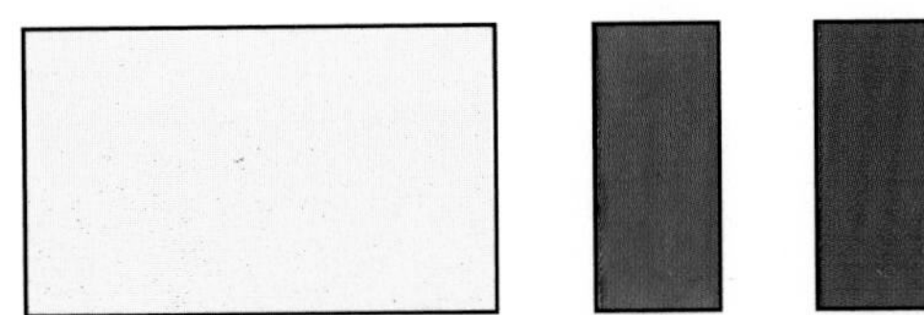

Fond jaune sable:
(blanc + ocre jaune)

ÉBAUCHE A L'ENCRE:
Première opération
Réaliser à sec le graphisme à la brosse carrée avec de l'encre (non diluée) Sienne naturelle + une goutte de Sienne brûlée.

Chaque élément de cette ronce devra être blaireauté aussitôt après réalisation.

Deuxième opération
Avec ces mêmes teintes, repiquer à la brosse pointue les sommets des ronces, puis blaireauter.

Troisième opération
Avec de la Sienne brûlée à la brosse pointue placer les nœuds du sapin,
puis réaliser le bois de fil entourant vos ronces à la brosse carrée avec le même mélange de teintes.

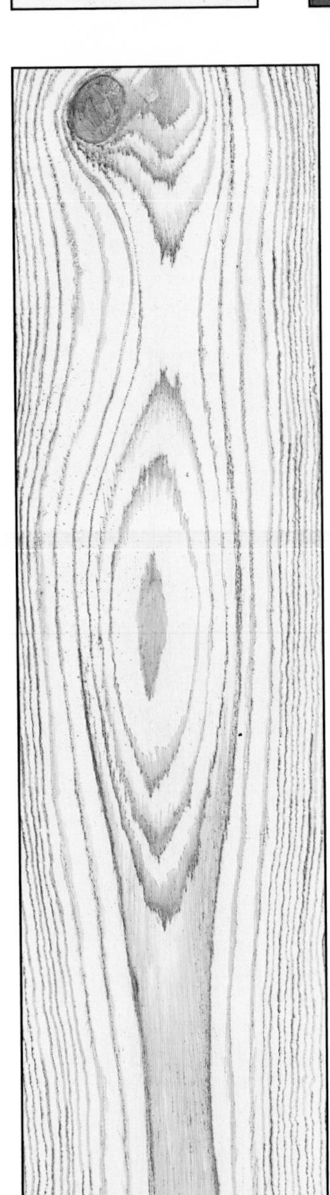

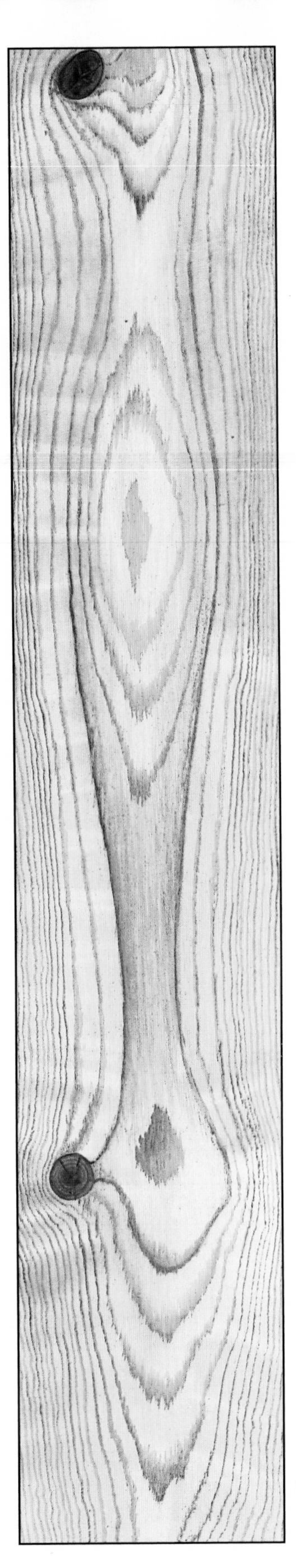

GLAÇAGE A L'HUILE:
Avec un glacis teinté légèrement de terre de Cassel, glacer l'ensemble du travail au spalter,
puis réaliser au chiffon des moirés entourant la ronce.

Repiquer à la brosse pointue et à la terre de Cassel les nœuds pour les préciser ainsi que les sommets des ronces, blaireauter légèrement.

Composition de Sapin sur fond d'Érable
1 m × 1 m

L'ACAJOU

Bien que le mot Acajou soit devenu synonyme de rouge, il ne faut pas oublier que l'Acajou blond procure lui aussi des meubles somptueux même si plus doux. Souvent rattaché au style Empire, il s'associe avec bonheur à différentes matières en de multiples combinaisons (bois, marbres, ivoire, tissus soyeux parfois richement ornés d'or, etc.)

Ce bois noble nous offre trois possibilités de veinage :
— le sobre Acajou lisse composé de ronces, de fils, de grains simples, servant principalement en accompagnements,
— l'Acajou moiré, appelé également Acajou gerbé, Acajou flammé du fait de sa superbe ronce jaillissant à la manière d'une gerbe de flammes dans une abondance de moirés, décore évidemment en priorité le centre d'un meuble,
— l'Acajou moucheté, opposé aux précédents tout en ayant un peu de l'un, un peu de l'autre, fait penser à un pelage de félin par ses abondantes taches sombres mais sur fond rougeâtre. Il est utilisé en marqueterie composée de plusieurs panneaux, pour le centre mais aussi pour l'accompagnement d'un décor.

Ces trois graphismes, qui ne sont ni raides, ni rigoureux, doivent être employés avec finesse. Pour cela, il est indispensable de bien les étudier voire de les disséquer.

Après ces études, passons à la réalisation en peinture. Il existe plusieurs techniques courantes. Comme pour les autres bois, notamment le Noyer, il est possible de réaliser l'Acajou à « l'ancienne » avec dextrine et teintes en poudres pour l'ébauche : réalisation longue. Outre la rapidité de séchage, ma technique a un autre avantage, celui d'accentuer la transparence.

Porte Empire avec Acajou gerbé et Loupe de Frêne
2,10 m × 0,63 m

RÉALISATION DE L'ACAJOU GERBÉ

Fond orange vif
(mine orange)

ÉBAUCHE A L'ENCRE:
Première opération
Avec de la terre de Cassel, battre le fond à la queue à battre,
puis laisser sécher une heure.

Esquisser le graphisme de la ronce avec une craie très poudreuse (genre pastel) de couleur sombre.

Procéder par étapes avec de l'encre (noire + rouge), glacer la partie dessinée, rapidement et en dosant de façon à ne pas avoir de coulure.

Avec une éponge carrée humide, réaliser un dépouillé à l'intérieur de cette forme qui deviendra la ronce;
blaireauter avant séchage.

Réaliser de la même façon la deuxième et la troisième étapes de cette ronce.

Quelques minutes après la mise en place de la totalité de la ronce, (noire + rouge) repiquer, toujours à l'encre, le cœur soit au spalter, soit à la brosse,
insérer ces repiqués en les blaireautant avant séchage.

Une demi-heure après, il est possible de reglacer cette ronce, soit à l'huile, soit à l'encre.

REGLAÇAGE A L'HUILE:
Avec un glacis à l'huile teinté de laque carminée + noire + sépia, glacer l'ensemble de façon à assombrir la planche, en «tirant bien» ce glacis.

Avec un petit spalter chargé de noir, placer dans le cœur de la ronce, les gerbes en se référant au graphisme;
adoucir l'ensemble délicatement au blaireau.

Avec une veinette trempée dans du glacis incolore, reprendre la forme de la ronce pour obtenir par endroits quelques dépouillés.

OU

REGLAÇAGE A L'ENCRE:
Il faut procéder très rapidement à cause du séchage afin de ne pas se faire «piéger» et procéder par étapes comme pour l'ébauche (en moyenne par trois tiers),
de la même manière que pour le glaçage à huile cité ci-dessus avec de l'encre de mêmes tonalités,
il est préférable de terminer l'Acajou par un vernis brillant voire même un vernis poli.

L'ACAJOU MOUCHETÉ

Fond orange vif.

ÉBAUCHE A L'ENCRE:
Avec de l'ombre brûlée + noire + laque carminée, diluées, glacer au spalter l'ensemble de la planche, puis battre afin d'obtenir les grains du bois.

GLAÇAGE A L'HUILE:
Avec un glacis teinté de noir, laque carminée, glacer au spalter l'ensemble,
dessiner, d'une manière légère avec la brosse carrée et du noir, une ronce qui sera accompagnée de «mouches»; ces mouches seront, elles, ovalisées.

Blaireauter pour adoucir,
puis battre l'ensemble dans le frais pour achever ce travail.

Présentation de l'acajou sur fond de feuille de cuivre oxydé au vinaigre.

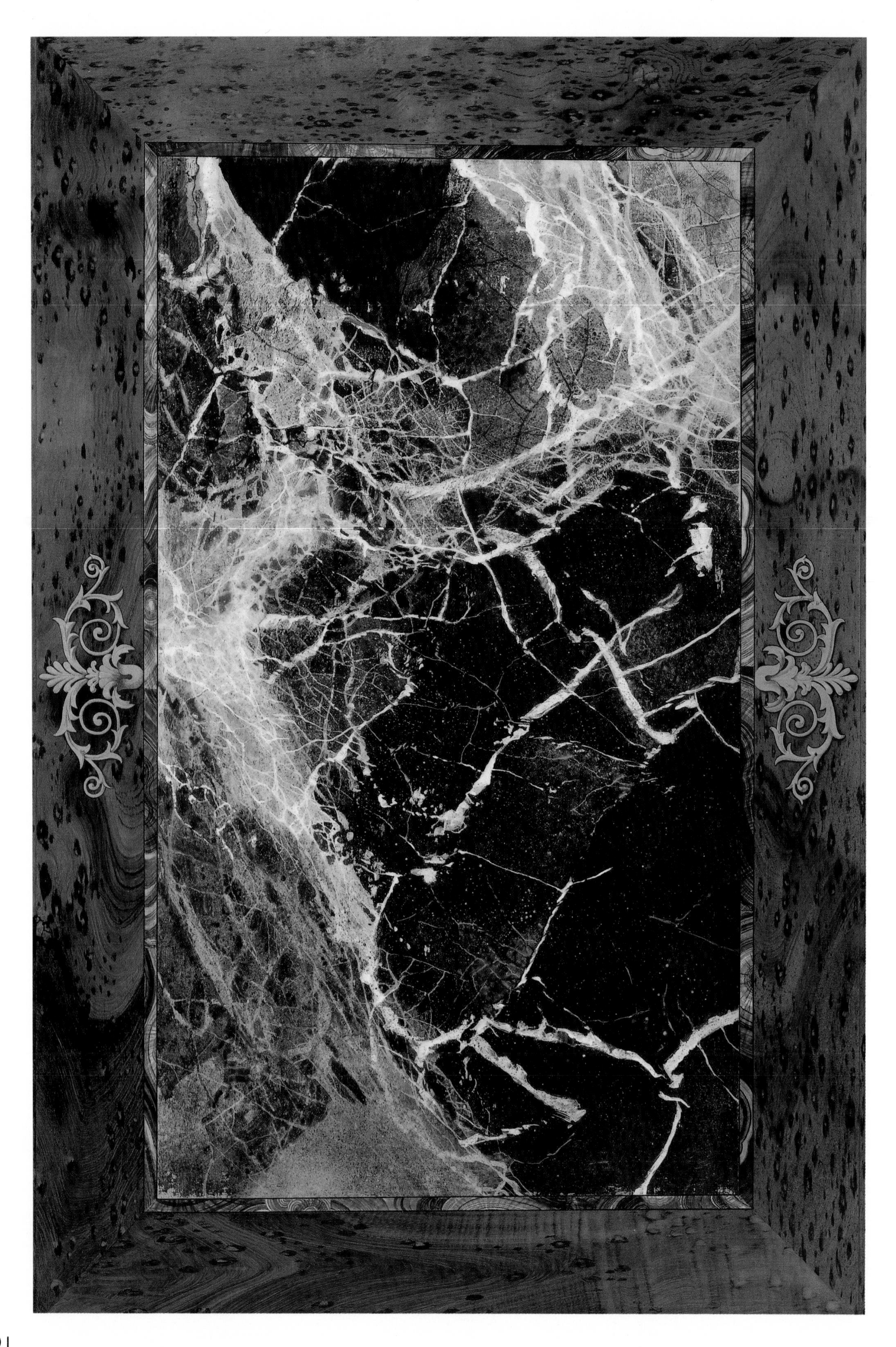

Table Empire en vert de mer avec Listel en Malachite
et entourage d'Acajou moucheté,
ornementation en trompe-l'œil sur feuille d'or (1,80 m × 1,20 m)

Table Empire en Acajou blond en dédoublé,
Listel en Loupe de Thuya et frise grecque en Porphyre sur fond de Griotte
1,80 m × 1,20 m

Demi-lune de style Empire en planche d'Acajou gerbé,
frise en Ivoire, petit Listel en Jade et cœur en Impérador (diamètre 1,20 m)

GLOSSAIRE

Quelques termes particuliers du peintre en décors où l'orthographe et l'emploi sont parfois différents de ceux utilisés dans un dictionnaire courant de la langue française.

Accompagnement: se dit d'un décor léger volontairement moins poussé, afin de ne pas atténuer le motif principal. Il s'agit également des côtés latéraux des ronces de bois.

Adoucir: c'est atténuer une teinte afin qu'elle se fonde partiellement ou totalement. Se fait en général avec un «blaireau».

Aérographe: petit appareil en forme de stylo ou de pistolet servant à peindre par projection de la peinture liquide grâce à l'air comprimé produit par un compresseur.

Amplifier: c'est rehausser en couleur ou en forme, une partie d'une imitation.

Anneaux: terme désignant des formes plus ou moins rondes du graphisme particulier de certains marbres (Campan, Griotte, etc.) et du graphisme constituant la ronce du bois.

Asseoir: c'est placer harmonieusement un graphisme de cailloux de façon à obtenir une bonne et solide «base visuelle». Les formes lourdes et trapues seront, en général, placées vers le bas.

Battre: frapper l'imitation d'un bois avec une «queue à battre» pour simuler les grains de ce bois.

Blaireau: pinceau fabriqué en poils de blaireau servant à adoucir une imitation. Cette opération se nomme «*blaireauter*».

Brèche (une): ce mot désigne un marbre composé de grosses pierres, voire même énormes, souvent anguleuses (exemple: *le Grand Antique*).

Brèche *(une petite)*: est un marbre composé d'une multitude de petits cailloux de couleurs variées dont les plus gros ont en général cinq cm de côté, et les plus petits ressemblent à des grains.

Brécher: c'est exécuter à l'aide d'un pinceau appelé «*brécheur*» un graphisme de gros, de moyens ou de petits cailloux correspondant au marbre à réaliser.

Brosses et pinceaux: la brosse est faite, en général, en soie de porc. Le pinceau en poils de martre, de putois ou d'écureuil. Brosses et pinceaux sont étudiés pour des travaux définis.

Cailloux: en imitation de marbre, pierres de grosses, moyennes et petites dimensions.

Cailloutage: ce mot désigne l'ensemble des cailloux d'un marbre.

Caillouter: c'est peindre les pierres suivant le choix du marbre.

Cassures (établir des cassures): c'est peindre de fines veines sur des cailloux afin de simuler les fendillements de la roche.

Chaînage: graphisme de veines imitant un ensemble d'anneaux reliés entre eux (exemple: *campan, griotte, portor*).

Champs (les): ordinairement, le champ est une surface unie et lisse délimitée par une moulure simple ou ornée, en relief. Inversement, en décor peint, on appelle «les champs» cette moulure encadrante (en relief ou plane). La partie centrale est alors appelée «panneau de centre».

Chiquetage: ce mot désigne l'imitation des très fins cailloux constituant souvent le fond d'une imitation. Sur certains marbres, on peut effectuer plusieurs *chiquetages* (ou chiquetés).

Chiqueté (un marbre chiqueté): marbre composé presque uniquement de petits grains (exemple: granits, porphyres).

Chiqueter: c'est garnir une surface de petits points de couleur à l'aide d'un pinceau appelé «*chiqueteur*» (à une ou plusieurs mèches), ou à l'aide d'une éponge, pour imiter le cailloutage.

Cristalliser: c'est effectuer un chiquetage clair de finition sur une imitation pour casser et atténuer les teintes donnant ainsi de la profondeur.

Dédoublé: le dédoublé est un graphisme de marbre ou de bois dessiné en symétrie pour donner un bel effet décoratif. Penser à l'épaisseur de coupe qui donne quelques millimètres de différence dans la symétrie du dédoublé.

Dépouiller: c'est retirer sur un fond frais, à l'éponge, au pinceau, au chiffon ou au doigt des parties de peinture pour simuler un cailloutage du marbre ou un moiré du bois.

Ébauche: première étape de l'imitation.

Éponge: naturelle ou synthétique: sert à effectuer des enlevés (dépouillés) ou des chiquetés (rajouts) plus ou moins importants selon que l'on utilise les parties «fines et serrées» ou les parties «plus aérées» de cette éponge.

Encres: il en existe de nombreuses. Celle que nous utilisons est indélébile et diluable à l'eau.

Enlever: voir dépouiller.

Enlevés: voir éponge.

Fil: graphisme linéaire constituant la ronce et l'accompagnement de cette ronce (bois de fil).

Filer: c'est exécuter des traits réguliers (filets) de peinture pour effectuer des imitations de moulures, de briques, de panneaux, etc., à l'aide de brosses ou de pinceaux à filer, ainsi qu'à l'aérographe, à main levée ou à la règle à filer.

Filet adouci: le filet adouci est un trait de peinture, clair ou foncé, dont un des côtés ou les deux sont fondus pour donner un effet de relief en faisant «*tourner*» la moulure.

Filet sec: contrairement au filet adouci, le filet sec est réalisé en un geste définitif, sans fondu.

Fixer: c'est appliquer un vernis ou un glacis à l'huile pour préserver ou pour isoler une surface en vue d'autres opérations à venir.

Frais (dans le frais ou sur le frais): c'est effectuer une opération sur une étape non sèche.

Glaçage: opération qui consiste à passer un glacis.

Glacer: passer un glacis à l'eau ou à l'huile, en général au spalter.

Glacis (glacis à l'eau ou à l'huile): c'est une peinture ou un mélange de produit (composé de térébenthine, d'huile de lin et de siccatif) peu ou pas chargé en teinte, laissant voir par transparence le fond sur lequel il est appliqué.

Gicler ou spitcer ou *spitser*: c'est effectuer des projections fines de peinture ou de glacis sur un fond. Cette opération peut se faire avec une brosse à dents. Sur un fond frais à l'huile, ce «*spitcé*» à l'essence donnera un dépouillé.

Graphisme: mot employé pour désigner le tracé général et particulier d'un marbre ou d'un bois. (ex.: le graphisme du campan est composé d'anneaux).

Grémiller: c'est chiqueter des «*grains*» excessivement fins à l'éponge en utilisant les parties les plus fines de celle-ci.

Isoler: voir fixer.

En jus ou en eau (voir également glacis): terme signifiant que le produit est à employer très liquide. En général, les imitations de marbre se font très diluées, repassées plusieurs fois afin d'obtenir des transparences de tons pour simuler la profondeur de la matière (exemple: *onyx*).

Kilomètre (bois ou marbre au kilomètre): expression signifiant une imitation étendue au métrage et exécutée d'une manière peu poussée.

Lamés: touches de peinture de tons différents, posées sur certains cailloux et sur certains bois pour apporter des effets, des nuances, de la profondeur. On utilise en général lamés pour les marbres et moirés ou ondulations pour les bois. Les moirés et ondulations peuvent se réaliser également par des «enlevés».

Lits: bandes parallèles, droites placées légèrement obliques, plus ou moins larges, de tons variés, délimitant des zones. Ces lits sont effectués dans les premières opérations d'une imitation de marbre (ou de bois).

Lits rubanés: comme les précédents mais de forme sinueuse au lieu de droite (exemple: *onyx, lapis-lazuli, malachite*).

Mailles: taches, formes particulières rappelant des vergetures que donne suivant une certaine coupe le veinage d'un bois, notamment le Chêne.

Martres: pinceaux fabriqués en poils de martre de très haute qualité et utilisés pour des travaux fins en repiquage, en ornementation, ou en lettre.

Moirés: voir lamés.

Nœud: le nœud d'un bois est l'empreinte où se situait la jonction entre le tronc et la branche. Une fois la planche débitée, ce nœud apparaît sous forme de tache plus ou moins ronde, plus ou moins tortueuse (exemple: le sapin).

Ondulations: voir lamés.

Pinceaux: voir brosses.

Queue à battre: brosse à très longues soies pour «battre» le glacis afin de simuler les grains du bois.

Refend: est un synonyme de cassure. En imitation, on place souvent les refends dans le sens inverse du graphisme général, à la peinture blanche (exemple: *campan*).

Rehausser: c'est donner plus d'importance ou plus d'éclat.

Repiquer: synonyme de rehausser.

Ronce: graphisme arrondi, plus ou moins régulier suivant la variété de bois, apparaissant suivant une certaine coupe du tronc. La ronce de Chêne est assez régulière tandis que celles des loupes sont très tortueuses.

Sertir: en imitation, cela signifie rehausser, préciser, les bords, les contours d'un caillou ou d'une veine.

Spalter: c'est effectuer des ondulations sur un glacis frais à l'aide d'un pinceau appelé «*spalter*» (on prononce spaltèr).

Spaltés (effectuer des spaltés): voir spalter.

Tirer un glacis: c'est étendre ce glacis d'une manière régulière sans épaisseur ni coulure.

Transparences: voir «*en jus*» ou «*en eau*».

Veinage: mot employé en imitation pour «*veinure*»: ensemble de veines.

Veine: marque longue, étroite, sinueuse et de couleur opposée, provoquée par les transformations géologiques des roches, réseau de croissance dans le bois.

Veiner: peindre les veines d'un marbre (ou d'un bois). Cette opération se fait en général à l'aide d'une brosse fine.

Veinette: brosse à poils longs utilisée pour veiner d'une manière large.